EL GRAN
CAPY

CB051746

Patrícia Iunovich

EL GRAN CAPY

As fantásticas aventuras de um motociclista na Muralha da Morte

GERAÇÃO

1ª edição — Novembro de 2017

Grafia atualizada segundo o Acordo Ortográfico da Língua Portuguesa
de 1990, que entrou em vigor no Brasil em 2009

Editor e Publisher
Luiz Fernando Emediato

Diretora Editorial
Fernanda Emediato

Assistente Editorial
Adriana Carvalho

Capa, Projeto Gráfico e Diagramação
Alan Maia

Fotografias
Arquivo Pessoal

Preparação
Marcia Benjamim

Revisão
Josias A. de Andrade

DADOS INTERNACIONAIS DE CATALOGAÇÃO NA PUBLICAÇÃO (CIP)
(Câmara Brasileira do Livro, SP, Brasil)

Iunovich, Patrícia
El Gran Capy : as fantásticas aventuras de um motociclista na muralha da morte / Patrícia Iunovich. -- São Paulo : Geração Editorial, 2017.

ISBN 978-85-8130-377-2

1. Arte 2. Artistas circenses 3. Circo - História
4. El Gran Capy - Motociclista - Biografia
5. Iunovich, Antônio Francisco 6. Motociclismo
7. Muralha da Morte I. Título.

17-02668 CDD: 791.35

Índices para catálogo sistemático

1. Motociclista : Memórias : Biografia 791.35

GERAÇÃO EDITORIAL

Rua João Pereira, 81 – Lapa
CEP: 05074-070 – São Paulo – SP
Telefone: (+ 55 11) 3256-4444
E-mail: geracaoeditorial@geracaoeditorial.com.br
www.geracaoeditorial.com.br

Impresso no Brasil
Printed in Brazil

SUMÁRIO

Capy, no alto, e um de seus parceiros, Mr. Richard.

PREFÁCIO

A VIDA PELOS OLHOS DA MURALHA DA MORTE

Uma história pode facilmente ser apagada ou cair no esquecimento, como um número, um boletim de ocorrência, uma estatística qualquer. A morte de meu pai reacendeu em mim a vontade de escrever sobre sua trajetória e uma parte da nossa também, os filhos dele. Decidi resgatar num livro a experiência de morar num parque de diversões.

Levávamos uma vida nômade, sem mordomia, com muitos sacrifícios e restrições, mas tínhamos certo orgulho dela, porque vivíamos fora dos padrões convencionais e essa forma de viver tinha, paradoxalmente, um efeito mágico, também.

Fora isso, tínhamos um orgulho danado do nosso pai como artista. El Gran Capy foi um dos melhores motociclistas acrobatas de sua época, na América do Sul, um dos melhores globistas e o mais criativo piloto da Muralha da Morte. O mais arrojado. E por que não o mais sedutor e intrigante condutor desse tipo de arte?

Capy ganhou esse apelido na infância, por seus dentes grandes e um pouco saltados, que lembravam os de um roedor (em espanhol, *capy* é um diminutivo de *capybara*, ou capivara, em português, o maior roedor do mundo).

A saga aventureira, de ciganos, de gente de parque e de circo, começou e morreu com meu pai. Foi a vontade dele de se aventurar, de conhecer cidades, estados e até outros países que o levou, ainda adolescente, para os espetáculos itinerantes.

Argentino com todas as impressões digitais que o adjetivo pátrio pode carregar, na alma e no comportamento, Capy morava em Morón, na Grande Buenos Aires, quando foi atraído pelo circo, aos dezoito anos de idade. Era um rapaz inquieto, encrenqueiro, exibicionista e extremamente galanteador.

Começaria ali uma carreira de sucesso, de um acrobata sobre duas rodas, de um artista genioso e generoso, que repassou técnicas e manhas a muitos discípulos, alguns dos quais ainda estão na ativa. Muitos assumidamente seus fãs.

Com a mesma destreza e coragem, ele dominou tanto o globo da morte, onde atuou inicialmente, como a muralha da morte, outra atração perigosa, mas menos conhecida do público. Ambas se assemelham pela acrobacia usando motos, mas diferem no formato da estrutura. O globo lembra uma gaiola redonda; a muralha, um cilindro aberto, um cone sem cobertura.

Arriscando-se sempre, sofreu inúmeros acidentes, mas conquistou incontáveis aplausos, que ainda soam no ouvido de seus filhos e mantêm aceso o orgulho por um pai especial, que como homem tinha muitos defeitos, mas que era perfeito quando se apresentava como artista.

Vou falar sobre Capy e também da gente que o acompanhava nas andanças pelo Brasil e Uruguai afora, país onde ele também atuou, nos anos de 1960, 1970 e 1980. Foram os últimos tempos de glória para muitos parques e circos tradicionais.

Eles perderam apreciadores, gradativamente, com a presença da televisão cada vez mais forte na casa das pessoas e, mais tarde, com a popularização da *web*. Parques e circos são, por natureza, analógicos, e poucos sobreviveram à fase digital. Só sobrevivem aqueles que são mantidos por grandes empresas de entretenimento, capazes de garantir o espetáculo com altos investimentos. Os pequenos agonizam.

Dos tempos áureos da muralha da morte, especialmente, restam poucos registros de boa qualidade, a não ser em fotografias caseiras e algumas imagens nos arquivos das emissoras de televisão, que às vezes aparecem aqui e ali em *blogs* saudosistas.

E como é viver num circo ou parque de diversões? A maioria das pessoas não sabe o que é a vida de quem viaja de uma cidade para outra, sempre em busca de público. O ônibus, o *trailer*, as barracas, montadas com ferro, madeira ou lona, viram moradia num terreno baldio qualquer. Não há luxo.

Crianças e adolescentes de circos e parques estabelecem raízes paralelas, com um pé lá dentro e outro fora. Sem endereço fixo, trocam de localidade e, por consequência, de escola, em curto prazo. O tempo de permanência num lugar depende principalmente do faturamento. Ou da falta dele.

O dinheiro — pouco ou muito —, as condições do clima e a receptividade influenciam diretamente na decisão de ficar ou não. A temporada dificilmente dura mais de dois meses no mesmo local. Aí, é hora de fechar as cortinas e buscar outras paragens. Circo e parque sem movimento é prejuízo na certa para os artistas e o resto da trupe.

Antônio Francisco Iunovich, o Capy, viveu intensamente a vida de parque e circo, como artista e depois como administrador. Como globista e piloto da muralha da morte, foi tratado como um *superstar*, principalmente no Uruguai, onde morou mais de dez anos. Teve até a oportunidade, que recusou, de levar sua ousadia para Las Vegas — e, quem sabe, ganhar as telas do cinema. Mas ficou por aqui mesmo e aqui encantou seu público tupiniquim.

A construção do texto é baseada nas minhas memórias de infância e adolescência, nas entrevistas que fiz no Brasil e na Argentina, com pessoas que conviveram com Capy, nos relatos de amigos e em algumas pesquisas. É uma viagem, sem muito respeito à ordem cronológica, às mais remotas recordações — boas ou não —, marcadas por uma convivência difícil, mas única, que só este mundo tão distinto poderia me proporcionar. Eu sempre serei a menina do parque e meu pai será sempre El Gran Capy.

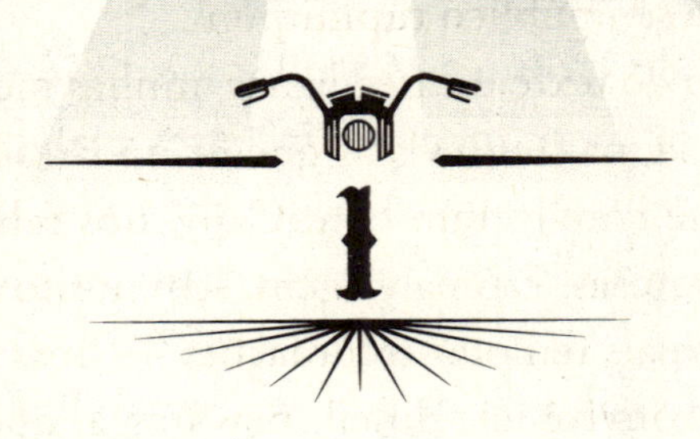

O ÚLTIMO APLAUSO

O silêncio, entremeado apenas por alguns soluços tímidos, contraídos, quase inaudíveis, foi quebrado na hora em que as primeiras pás de terra caíam sobre o caixão. "Este cara era um grande artista. Eu assisti a uma apresentação dele no Rio de Janeiro, quando criança, e nunca mais vi nada igual. Em cima de uma moto, ele era um gênio."

O homem moreno, alto, aparentando quarenta e cinco anos de idade, estava emocionado e gesticulava nervosamente. "El Gran Capy, eu vim para essa última homenagem porque você merece. Quando cheguei a Foz do Iguaçu e soube que você morava aqui, fiz questão de ser seu amigo. E me orgulho muito disso. Adeus, campeão", disse em voz eloquente, trêmula.

Depois de se despedir de forma tão peculiar, aquela pessoa estranha, pelo menos aos olhos dos filhos de Capy, afastou-se abruptamente, ensaiando um choro convulsivo. Parecia embriagado, mas ninguém arriscaria especular nada sobre tal comportamento. Foi uma cena forte, carregada de emoções. Impactante.

No cemitério do Jardim São Paulo, localizado na periferia de Foz do Iguaçu, ficaram apenas familiares e alguns amigos. Os mais próximos (muito poucos) não arredariam pé até o último instante, apesar dos apelos dos fogos de artifício que já começavam a estourar no céu.

O calor era infernal. Fim de ano em Foz do Iguaçu costuma ser muito quente. E os turistas, hospedados nos hotéis de luxo em Foz, ansiavam pela festa a que tinham direito. A hotelaria da cidade é reconhecida tradicionalmente pelas noites de *réveillon*.

Era 31 de dezembro de 2009, véspera de ano-novo, um dia pouco apropriado para a dor, quando as pessoas normalmente só querem festejar, confraternizar com as pessoas queridas. Em outras partes do mundo, a virada já havia acontecido. E o nosso pesadelo já teria passado.

Naquele local, embora o rito dos sepultamentos ocidentais determine solidarizar-se uns com os outros no momento da morte, havia pouco espaço para acalentar a alma de quem ficou. O conforto do abraço era escasso. Numa data dessas ninguém deveria morrer. É muito solitário.

O fã, que ficou no anonimato e nunca mais foi encontrado pelos meus familiares, extravasou toda a angústia que tomava conta dos filhos, agora órfãos, e da ex-mulher. E calava a raiva reprimida, a revolta pura com a morte traidora, que chegara tão rápida, num momento em que ninguém a aguardava. Surpresa, rasteira. E incômoda.

Capy mal ficara doente e, sem mais nem menos, morreu. Pelo menos era nisso que acreditávamos. Antes de dar entrada no hospital, parecia estar com uma gripe forte. A dengue hemorrágica e a gripe H1N1 já rondavam a cidade, mas essas doenças só vitimam os estranhos, conforme nossa crença maldita e ignorante.

As apresentações em cidades uruguaias eram um acontecimento.

No velório não havia mais de 100 pessoas. Não houve tempo hábil sequer para que os parentes da Argentina pudessem se deslocar de Buenos Aires para acompanhar o sepultamento. As passagens aéreas estavam esgotadas, e de ônibus o percurso demora mais do que vinte e quatro horas. No cemitério, o serviço era agilizado para que o enterro não passasse das 18h.

Os plantonistas aguardavam o fim do expediente, que terminaria nesse exato horário, para ir embora e festejar a chegada de 2010. Era nítido no rosto de cada um o desconforto. O que todos queriam era estar bem longe dali. Nós também.

Na minha casa, dessa vez, não haveria festa. Só uma saudação qualquer. E, nos anos seguintes, também não festejaríamos mais a entrada do ano-novo, como antigamente. Mesmo em meio a tantos contratempos e infortúnios, a gente costumava comemorar a data sempre com muita alegria. A partir desse dia, o luto seria permanente.

Talvez não tenha sido esse o enterro mais digno para um artista de tamanho talento, mas era assim que Capy, nos últimos anos, dizia que queria ser enterrado: numa cova simples, sem luxo, como havia se acostumado a viver nos últimos anos. Para ele, o mundo parecia seguir uma cronologia diferente, descompassada, como um filme mudo em preto e branco. Sempre carregava um ar nostálgico, perdido, mesmo quando estava bem ou mesmo centrado. O cigarro era cúmplice de seus pensamentos perdidos no passado, na glória que não voltava, no abandono à própria sorte.

O local do sepultamento ficava a menos de 200 metros de seu lava-car, onde trabalhara nos últimos sete anos, endereço escolhido por ele para aproveitar a aposentadoria recém-conquistada na cidade vizinha de Puerto Iguazú, na Argentina. Cerca de dois meses antes havia conseguido se naturalizar brasileiro, para receber o benefício.

Motos e carros eram seu universo. E assim viveu antes de ir direto para o hospital, de onde só seu corpo voltaria. As memórias de sua jornada reviveriam mais tarde, nos bate-papos entre filhos e familiares, numa matéria de revista, em publicações esporádicas. E num livro.

O seu nome artístico não diz muita coisa para quem tem contato com o *freestyle*, torneio no qual pilotos e máquinas fazem acrobacias aéreas sobre trampolins de terra em pista de *motocross*. A muralha da morte surgiu bem antes do *freestyle*. Seus praticantes não usavam capacetes de alto impacto, armaduras de plástico maleável, botas blindadas e todo o aparato de segurança que amortece tombos aparentemente fatais.

Na muralha da morte entrava-se com a cara e a coragem. E nada mais.

No Brasil, a prática já não existe mais. Há relatos de seu funcionamento em algumas localidades dos Estados Unidos, da Grécia e da Alemanha. Mas ainda é popular na Índia. Uma dessas muralhas é a grande atração da feira de Pushkar, onde motoristas e motociclistas correm sobre paredes verticais, em manobras suicidas dignas de um povo habituado a dirigir no trânsito caótico das ruas de Calcutá.

Mas é cada vez menor o número de pilotos ousados, que se arriscam a fazer acrobacias em nome de uma arte em extinção.

LA MURALLA DE LA MUERTE

Este es el escenario donde un hombre desafía a la muerte en cada giro.

En estas verticales paredes el «Gran Capy» realiza las acrobacias más temerarias jamás conocidas.

A una velocidad de vértigo giran aquí lo increíble y lo insólito...

Em cartaz de divulgação da Muralha da Morte, Capy exibe seu talento numa das acrobacias mais arrojadas.

CENTENAS DE CÉDULAS AO VENTO

Antes do início do espetáculo, suspense. O locutor anuncia:

"Vai começar o maior *show* de motociclismo de todos os tempos. Orgulhosamente, apresentamos El Gran Capy e Príncipe Nino. Uma salva de palmas, por favor".

Em meio aos aplausos, um ronco infernal faz tremer toda a estrutura da muralha da morte. Parece que os tímpanos vão estourar.

O cilindro de madeira balança sem parar. Lá no alto, a mais de oito metros de altura do paredão que será percorrido pelas motos, o coração dos espectadores bate mais forte. De cima para baixo, parece um precipício. E vêm lá de baixo as aceleradas, aguçando os sentidos e a curiosidade. Parece que tudo vai desabar.

Público e motociclista experimentam uma adrenalina parecida. A plateia está aflita. Os artistas, acelerando as máquinas, fazem o sinal da cruz, um pedido de proteção divina antes de desafiar a lei da gravidade.

Sozinho, Nino dava início ao espetáculo, percorrendo em alta velocidade até pouco mais da metade da altura do cilindro, com algumas acrobacias simples, como soltar as mãos e saudar o público, com gritos e acenos, dando uma amostra do que viria a seguir.

Segunda parte do *show*. Era a vez da apresentação em dupla. Com sincronismo perfeito, Capy e Nino percorriam o cilindro, primeiro em planos diferentes e depois juntos. Num certo momento, chegavam até a dar-se as mãos e faziam a volta completa, para delírio do público.

A APRESENTAÇÃO, LOUCURA EM SINCRONIA

Cada apresentação de Capy e Nino demorava, em média, de quinze a vinte minutos. Na primeira parte, apenas Nino subia. Depois de alguns giros rápidos, fazia as primeiras acrobacias e descia. Um rápido intervalo, um pedido para o público contribuir com o seguro de vida e o reinício. Nino, novamente, e Capy, em seguida.

Nino fazia uma apresentação mais comedida, embora a plateia também apreciasse. Mas o público vinha abaixo quando era Capy o rei do espetáculo. Ele conduzia a moto de um jeito ímpar, chegando a comandar a máquina apenas com os pés, as mãos totalmente soltas. Fazia giros de 180 graus em cima da motocicleta — para cima e para baixo —, abria os braços, ficava de pé, de joelhos. Eram várias acrobacias seguidas.

Outra marcação bastante arriscada e difícil era quando Capy, pilotando atrás de Nino, ultrapassava-o em alta velocidade, tirando fininho da moto do parceiro. Se a máquina falhasse, se Capy acelerasse mais ou menos do que o tempo exato, era acidente na certa.

A acrobacia "cruz fatal", como o nome sugere, era a mais perigosa: enquanto Nino subia com a moto pela muralha, Capy descia, ambos em alta velocidade, cruzando um com o outro a milímetros de distância.

Mas o público ainda tinha muitas surpresas pela frente. Nino descia e deixava Capy sozinho com suas loucuras. A oitenta ou cem quilômetros por hora, ele chegava tão perto dos espectadores, que muitas pessoas recuavam, achando que a moto iria cair sobre elas.

O ronco dos motores, o giro rápido das motos, o balançar da estrutura. Tudo isso aguçava os reflexos do público. As pupilas se dilatavam, o coração disparava e parecia que faltava a respiração. A certa altura, os cabelos ficavam, literalmente, de pé.

Estava certo o locutor que, no início da apresentação, alertava que o espetáculo não era indicado para pessoas que tivessem problemas cardíacos. Pessoas de idade, às vezes, passavam mal de ver os aloprados da muralha em ação.

4

VINTE ANOS DE OUSADIA E AVENTURAS

Príncipe Nino, o principal parceiro de meu pai na muralha da morte, nasceu Edney Figueiredo. Tinha pouco mais de vinte anos quando Capy o ensinou a pilotar. Foi também do meu pai a sugestão do apelido Nino, de menino. "Príncipe" foi um acréscimo artístico.

Gaúcho de Passo Fundo, Nino conheceu Capy em 1965, quando decidiu deixar a família e pedir emprego no parque, onde meu pai já fazia sucesso na muralha da morte. Seu primeiro trabalho foi atender os fregueses da barraca de tiro ao alvo. Função sem *glamour*, mas que garantia algum dinheiro para gastos básicos. Cama e comida o parque fornecia aos empregados.

Capy, que já havia atuado em dupla na muralha e estava sozinho, simpatizou com Nino e viu nele a possibilidade de formar uma parceria. Foi um *insight*. E Nino virou acrobata de motocicleta, sem ter carteira de motorista e nem ao menos saber pilotar uma moto nas ruas. Nascia ali uma parceria de vinte anos.

Nino sempre ressaltou a supremacia do amigo nas apresentações. "Como ele, não existe ninguém", dizia, lembrando que Capy teve a generosidade de compartilhar tudo o que sabia sobre motos: ensinou sobre marcas, explicou sobre a potência do motor, mostrou o jeito de dominar cada máquina e os truques para fazer um *show* de arrepiar o público.

Capy pressentira em Nino — apesar da pouca idade e nenhuma experiência no ramo — um espírito aguerrido e aventureiro, muito parecido com seu jeito ao disputar a atenção dos donos de parque e circos que chegavam a Buenos Aires, quando ainda era muito jovem e sonhador.

Antes de Nino, meu pai teve como parceiro o Capitão Tony, que ficou famoso por se apresentar na muralha também pilotando carros. Foi um dos mais conhecidos na atividade no Brasil e também no exterior, pela habilidade ao conduzir um espetáculo.

Capy sabia que segurar alguém por muito tempo, naquela função, era muito difícil, porque a maioria dos aprendizes desistia da profissão já nos primeiros acidentes, que não eram raros. Afinal, o santuário dos motociclistas endiabrados não tinha espaço para os fracos. Tinha que ser talentoso, mas também muito corajoso.

Na primeira aula a Nino, Capy foi seco e direto:

— Não adianta "se amarrar". Suba.

Nino obedeceu. Com uma máquina Viller, de 200 cilindradas, deu os primeiros rodopios. Ele se sentia meio anestesiado com o desafio, mas seguiu todas as orientações e, em apenas três dias, aprendeu a dominar a moto e a subir pelo paredão da muralha da morte.

Na sua estreia, Nino apresentou-se ao estilo de Capy. Mandou fazer uma roupa especial, com o nome artístico bordado em relevo na blusa, e comprou botas de couro. Antes de entrar em cena, ele até se perfumou. Era mais um segredo que Capy compartilhara: depois do espetáculo, mulheres da plateia costumavam abraçar e beijar os aventureiros. Era sempre bom estar cheiroso. Seduzir fazia parte do *show*.

A dupla fez sucesso desde o início. Nino vibrou com cada salva de palmas. E foi assim uma apresentação após outra, que se repetiam até vinte, trinta vezes por dia. E Nino rapidamente percebeu que os aplausos significavam dinheiro. Quanto mais gente nas apresentações em sequência, mais a dupla ganhava.

O primeiro revés também chegou rápido. Logo no terceiro dia depois da estreia, o jovem gaúcho perdeu o controle da moto e despencou da muralha. Com a clavícula quebrada, Nino ficou de molho quarenta dias. Mas o tombo não o desanimou. Enquanto se aprimorava no aprendizado da arte, ele se convencia de que o mais importante mesmo era persistir. E sabia que isso era o que não faltava a Capy: persistência.

Com a inseparável cerveja, Capy reunido com o dono do Novo Circo Americano, sr. Rocha, e seu parceiro Mr. Richard.

5

A LIBERDADE ACIMA DE TUDO

Desde a infância, para Capy, nada era mais importante do que ser livre, na expressão mais semântica da palavra. Ele nunca se prendeu a convenções. Nada era capaz de detê-lo. Nem a família, muito menos a escola ou qualquer forma de dominação. Tudo para ele era pouco. Gostava de desafiar o impossível e tornar realidade o improvável. Essa era a sua marca. Quando alguém dizia que algo não podia ser feito, ele queria provar o contrário.

Pequeno, franzino e maroto, logo aprendeu a se esconder do pai, *seu* Antônio, para evitar as frequentes surras e recriminações pelas traquinagens de moleque levado. Capy se refugiava nas ruas, onde jogava bola, armava encrencas e ficava horas vagabundeando, a exemplo de outros meninos de sua idade. Na pequena cidade argentina de El Palomar, localizada na Grande Buenos Aires, onde viveu até a pré-adolescência, era o terror das redondezas.

Ele aprontava uma atrás da outra. Ninguém ficava imune à sua presença. Por onde passava, sempre deixava seu rastro. Com o bodoque, caçava passarinhos e aproveitava para também mirar as vidraças alheias. A vizinhança era um rosário de reclamações. E o pai era um pote sem fundo de impaciência.

Seu Antônio, natural da Iugoslávia, era um homem alto e esguio. Fugindo das guerras que devastavam a Europa, ele veio para a Argentina em busca de oportunidades. Mas pouco se sabia de seu passado, porque tudo era mantido em segredo.

No novo país, casou-se com Ana Dominga Mastroverardino, nascida e criada em El Palomar. Vaidosa, a descendente de italianos tinha sangue quente. Toda a família, especialmente Capy, herdou o gênio forte do casal, que teve quatro filhos: Leonor, Antônio, Norberto e Rodolfo.

Companheira de aventuras e de brincadeiras, a irmã mais velha de Capy, Leonor, chamada pela família de Ñata, foi também sua melhor amiga e cúmplice desde os primeiros anos de vida. Era nas estripulias — algumas ingênuas e outras nem tanto — que os irmãos escapavam do cerco do pai.

Capy e Ñata começaram a ajudar os pais ainda na infância. Capy foi entregador de leite, vendedor de frutas e de picolés. Ele gostava de comprar uma coisa e outra nas vendinhas que se espalhavam pelos arredores de Buenos Aires. O dinheiro que o pai negava para comprar alguma guloseima, ele dava um jeito de ganhar com seu trabalho.

Das aventuras com seu irmão, Ñata gostava de contar uma das mais perigosas. Foi quando pegaram escondido o carro de um amigo do pai e acabaram parando num poste. Nenhum dos dois sabia dirigir, mas isso não era empecilho para eles. Os irmãos não se machucaram no acidente, mas *seu* Antônio, obrigado a arcar com as despesas do conserto, aplicou-lhes uma tremenda surra.

Um dia, os pais acabaram se separando. A mãe foi morar numa pensão, no vizinho município de Morón, e os filhos, ainda pré-adolescentes, permaneceram sob o jugo do pai. Mas só até dona Ana se reerguer emocionalmente e conseguir dinheiro para manter os filhos.

Quando *seu* Antônio passou a viver com outra mulher, Capy e Ñata foram morar com a mãe, em Morón. Ela adorava o filho e era plenamente correspondida. Os dois tinham muito em comum, principalmente arrogância e vaidade desmedidas. Mas, entre eles, havia um ritmo tranquilo, de cumplicidade.

Vaidade também era uma característica de Ñata. Sempre muito bonita, já na adolescência era incentivada a participar de concursos de beleza. E vencia todos. O nariz arrebitado lhe rendeu o apelido. Ñata quer dizer narizinho, na gíria portenha. De certa forma, ela sabia o fascínio que sua beleza exercia sobre as pessoas e se sentia poderosa por isso.

Capy, um gozador nato, não estava nem aí para a vaidade alheia. Uma vez, segundo a própria Ñata, quando ela fazia o *footing* (paquera à moda antiga, quando mulheres passeavam de um lado e homens do outro), numa das praças de Morón, ele passou com sua charrete carregada de verduras. Para atrair compradores, anunciava seus produtos aos gritos. E, sabendo que a irmã morreria de vergonha se alguém desconfiasse que aquele verdureiro era seu irmão, Capy gritava ainda mais alto. Era um debochado autêntico.

Com o cigarro incomparável,
numa rara folga na praia,
acompanhado da irmã, Ñata.

6

NO PALCO, DOMANDO BURROS

Foi trabalhando com a carroça que Capy aprendeu a montar e a dominar os cavalos. E foi como domador que ele acabou se aproximando do mundo circense. Quando um parque ou circo chegava à cidade, Capy e Ñata inventavam alguma estratégia para não perder os espetáculos, se possível sem pagar nada. Muitas vezes, o truque era comprar um ingresso, que Ñata, depois de entrar, repassava ao irmão, por trás das grades ou por cima do muro. Eles davam um jeito.

Lá dentro, a ousadia de Capy garantia entradas para toda a temporada. Capy sempre participava como voluntário dos números circenses. Uma vez, o locutor do circo desafiou-o a domar um burro selvagem. Capy dominou o animal e saiu do picadeiro saltitante, com ingressos de cortesia na mão, prêmio por vencer o desafio. Ele ainda teve a petulância de reclamar que o burro selvagem era manso demais. Aquilo era fichinha para ele, saiu falando.

7

O ARTISTA QUANDO JOVEM: OUSADIA E EXIBICIONISMO

Para Capy, tudo sempre foi superlativo, menos a modéstia. Ele sempre costumava dizer, em bom portunhol: "*Soy bueno* em tudo que faço". E tirava todo mundo do sério com esse mantra desafinado.

Adolescente na Grande Buenos Aires, gostava de se arriscar em brincadeiras perigosas, apenas para exibir-se. Foi assim que pegou gosto por motocicletas. Pegava emprestadas dos amigos e fazia o diabo em cima delas.

Pouco mais que um menino, não se satisfazia só com a velocidade. Já nas primeiras aceleradas fazia com que a máquina se ajoelhasse ao seu talento de acrobata amador. Empinava, acelerava em alta velocidade, fazia rodopios. Enlouquecia a plateia que se formava com suas exibições. A roda à sua volta aumentava a cada peripécia, a cada ronco do motor.

Com menos de dezoito anos, Capy já fazia bicos nos parques de diversões que chegavam a Morón. Ele topava qualquer trabalho. Quase sempre era contratado para atender nas barracas de jogos de azar, que na Argentina eram (e ainda são) liberados. Jogos como tiro ao alvo, derrubar latas de alumínio, acertar o maior número possível de pontos nas canaletas com bolinhas de plástico, derrubar o goleiro de borracha no chute ao gol, laçar garrafas e outros.

A oportunidade de tornar-se artista de fato chegou na carona de um dos circos que se instalaram pertinho de onde morava. Capy foi pedir emprego, gabando-se que sabia pilotar motos. Foi então apresentado ao dono do globo da morte, que apenas ordenou:

— Vá lá e mostre o que sabe fazer.

Já nas primeiras piruetas, os globistas ficaram impressionados com a desenvoltura do rapaz e decidiram apostar nele. Com menos de uma semana de treinamento, Capy ocuparia um lugar de destaque na trupe do globo. Foi um salto súbito, uma promoção relâmpago para os padrões de hierarquia da companhia.

Entre uma apresentação e outra no globo da morte, agora cada vez melhor, Capy foi convocado para o serviço militar. No quartel, seu jeito engomadinho começou a despertar o ciúme de alguns colegas de farda. Botas polidas, roupas alinhadas e moto impecavelmente lustrada, tudo isso incomodava, em especial, um sargento. Capy levava para dentro do quartel a mesma vaidade que o acompanhava nas apresentações do globo.

Como era arrimo de família, ficava no quartel durante o dia e, à noite, tinha licença especial para trabalhar. Não fugia da responsabilidade de cuidar da mãe e da irmã, repartia com elas o soldo recebido, mas também não perdia o foco naquilo que havia secretamente planejado para sua vida. Seria, com certeza, um grande astro. Com sua destreza, ganharia qualquer palco para suas exibições sobre duas rodas.

Entre os colegas de farda, a implicância aumentava à medida que a fama de Capy crescia por toda Buenos Aires. "Tem um maluco se exibindo no globo, fazendo coisas que nenhum outro faz." Quando o expediente militar terminava, o tal sargento sempre arrumava uma desculpa para que ele ficasse até mais tarde e não pudesse, assim, apresentar seu número no circo. Capy tentou resolver o impasse com uma boa conversa, mas não adiantou: não havia disposição para o diálogo.

Mas ele não desistia. E foi durante uma dessas discussões que Capy, irritado — o que não era difícil de acontecer —, perdeu a cabeça e foi para cima do sargento, dando-lhe uma surra. Em represália, foi para a detenção, sob ameaça de voltar para trás das grades se desrespeitasse novamente seu superior. Ele decidiu, então, desertar. Com a ajuda de parentes e amigos, conseguiu documentos falsos — passou a ser Albertino Fiordilino, uma mistura de nomes de seus familiares —, e fugiu com o circo, que estava de mudança para o Uruguai. Teve de contar com a sorte para não ser preso na Argentina como desertor, ou no Uruguai, e depois no Brasil, por falsidade ideológica.

Com quase vinte anos de idade e muitos desafios pela frente, Capy sabia que sua terra natal — tinha um orgulho danado de ser argentino, como a maioria de seus conterrâneos —, passaria a ser um território proibido para ele por um bom tempo.

Capy viveu vários anos no Uruguai, como clandestino, trabalhando em diferentes parques, sempre no globo ou na muralha, até ser chamado por um amigo para se aventurar em São Paulo. Fugiu novamente. Agora, o destino era o Brasil.

Já na capital paulista, ingressou no circo Barnus, uma companhia circense renomada, que partiria logo em seguida para uma temporada em outros estados brasileiros. Foi numa dessas paragens que Capy conheceu Dora, minha mãe, e os dois se apaixonaram.

PAIXÃO À PRIMEIRA VISTA

No cinema — programa obrigatório de todo fim de semana —, Dora costumava suspirar pelos mocinhos. Mas foi no circo que ela agarrou o grande astro, já no primeiro olhar. E, sem titubear, trocou o ídolo das matinês, Clark Gable, por El Gran Capy.

O ano era 1962. Doracy Monteiro de Carvalho, a Dora, tinha apenas dezesseis anos de idade. E, como quase toda adolescente dessa idade, adorava ler romances. Talvez influenciada pelas histórias românticas dos livros e dos filmes, sonhava com os amores impossíveis. Dentro desse cenário, Capy era o "mocinho" idealizado. Na realidade, o tipo de homem do qual deve fugir qualquer pessoa que queira uma relação estável e exija fidelidade.

Dora morava com a família em Ribeirão Preto, no interior de São Paulo, mas conheceu Capy quando foi visitar sua irmã Aparecida, que havia se casado com Rynaldo, capitão da polícia militar, e mudado para Goiânia, capital de Goiás. Lá, ela fez amizade com Maria Deusdá, sobrinha do capitão Rynaldo e uma espécie de *promoter*. Mulher bonita, atuava como relações-públicas e tinha um grande fascínio pelo mundo das celebridades, artistas, radialistas e empresários de entretenimento.

A convite da nova amiga, foi à estreia do circo, que era aguardado como a grande sensação da temporada. Já na entrada, seus olhos se cruzaram com os de Capy. Foi amor à primeira vista, como sempre contaram depois, aos filhos. No mesmo dia, Dora aceitou o convite dele para jantar e, ouvindo as aventuras que contava, apaixonou-se ainda mais. Era o cinema na vida real.

A paquera engrenou, mas a temporada do circo estava acabando. E Dora chorou, sem esperança de que um dia voltariam a se encontrar. Era preciso recompor-se e tocar a vida. Ela até tentou. Arrumou namorado e quase se casou. Dora queria esquecer Capy. Mas não estava apaixonada pelo noivo. O namoro era muito incentivado pela família, mas minha mãe não se empolgava na mesma proporção.

Destino ou coincidência, o circo voltou a Goiânia um ano depois. E Dora estava lá, após terminar o namoro, que já nasceu fadado ao fracasso, porque era uma imposição. Eram os pais dela que viam o rapaz como um companheiro ideal para a filha — bem o oposto do que representaria um artista circense para essa família.

No entanto, a fachada de bom moço do namorado escondia um galanteador inveterado, um homem ciumento e bastante paquerador, exatamente como meu pai se revelaria. Os dois não diferiam muito nessa questão de caráter. Só que um vivia no circo e outro na cidade.

Decidida a se distrair e dar boas risadas, Dora foi ao circo levando no íntimo a esperança de rever o antigo *affair*, embora estivesse preparada para a decepção de não encontrá-lo. Mas Capy estava ali. E o amor voltou de súbito e para sempre. Os dois conversaram e reataram. Dessa vez, tudo seria feito dentro do *script*, com pedido oficial para namorar e namoro em casa.

Os pais não aceitaram. Capy não era nem de longe o companheiro que a família queria para a caçula. Era um forasteiro que levava uma vida itinerante, sem parada fixa nem salário estável, numa vida à margem do que se considerava ideal.

Aos dezessete anos de idade, Dora não deu ouvidos aos argumentos dos parentes e amigos. Ouviu apenas o coração. Apaixonada e determinada, contrariou a todos. Sem alternativa à vista, assim pensava, foi embora com Capy. De madrugada, ela pulou a janela do quarto em que estava na casa da irmã. Seu grande amor a aguardava do outro lado do muro. Fugiram.

Dora viveria com Capy o tipo de relacionamento sobre o qual costumava ler nas revistas baratas, escutar no rádio ou assistir nas matinês. Um caso intenso, marcante, arrebatador. Com ele, viveria aventuras nunca imaginadas e também amargaria dias de muita penúria, tanto financeira quanto emocional. Meu pai era avarento e negava dinheiro para a mulher e os filhos. Dora conheceria esse aspecto da personalidade dele mais tarde. E nem precisou de muito tempo para isso.

No Barnus — um dos melhores circos daquela época —, Capy fazia dupla no globo da morte com o gaúcho Mister Richard. Os dois eram os mais bem pagos da companhia. Em 1963, quando buscavam um novo parceiro para o número, o jovem Aparício, que fazia acrobacias numa bicicleta, ofereceu-se para o trabalho.

Capy pediu que ele subisse na moto, uma Indian 750, e mostrasse como pretendia se apresentar e colaborar na exibição. Aparício subiu no globo e, sob orientações de Capy, mostrou que não estava brincando. Nos dias seguintes, o circo teria um trio de globistas. Só havia um pequeno problema: Capy não gostava do nome do estreante. Tentou ver como soava Aparício Torres, que ele agregou por conta e risco, mas também achou sem apelo artístico. Aí, decidiu:

— De agora em diante você vai se chamar Charles Torres.

A inspiração para o nome do novo companheiro do globo da morte veio de Hollywood. Na época, Charles Bronson era um dos atores mais badalados dos filmes de ação. O trio Capitão Capy, Mister Richard e Charles Torres fez sucesso, mas não durou mais que dois anos.

9

AVENTURA E SAUDADE

Enquanto acompanhava a vida aventureira de Capy, minha mãe ainda tentava superar a dor da separação da família. Não via seus pais e irmãos desde a fuga. Caçula de nove irmãos, ela provocou dor e decepção em todos os seus familiares. Os amigos também não se conformavam. Além dos pais, quem mais sofreu com o episódio foi a irmã Aparecida. Elas se davam muito bem, tinham uma relação quase de mãe e filha. Dora amava a irmã mais velha e tinha um respeito muito grande por ela, por causa da diferença de idade entre elas: dezoito anos.

Na época da fuga, Aparecida ficou deprimida. Ela se sentia responsável e sofria com a culpa por não ter conseguido impedir a aventura da irmã caçula. Antes de partir, minha mãe havia deixado uma carta de despedida relatando que queria viver com aquele que ela achava ser o personagem perfeito para seus sonhos românticos. Ela acreditava estar pronta para viver um grande amor, mas não passava de uma adolescente.

No circo, a lona cobria uma vida dura, sem nenhum conforto, mas, mesmo assim, ninguém perdia a fé. Por que Dora perderia? Era jovem e destemida. Até então, minha mãe só conhecia o Capy artista. Logo descobriria que o homem com quem vivia, longe dos holofotes, não era nada elegante e charmoso como imaginava.

Já nas primeiras cidades por onde o circo passou, Capy mostrou outra faceta. Agia como homem solteiro e não se comportava mais como alguém apaixonado. Era um conquistador. E seguiria assim. Dora era nova e não sabia como lidar com a personalidade dupla do marido.

Outro aspecto que Dora nem supunha era sua característica avarenta. Capy era bem remunerado, chegou a ter um carro conversível e motos de passeio potentes, mas não sabia administrar o dinheiro que ganhava. Gastava tudo, especialmente nas farras com mulheres.

Para minha mãe não sobrava nada. Nenhum alento. A companhia de meu pai passaria a ser escassa. Os dissabores só aumentavam. Anoitecia e amanhecia e Dora escrevia cartas que não endereçava a ninguém. Nelas, relatava as amarguras, contava os sonhos, desabafava a angústia de estar só e não saber o que fazer.

Os colegas do circo não aprovavam o comportamento de Capy como marido. Eles se condoíam com a fragilidade de minha mãe. Sabiam que ela tinha medo de voltar para casa e não ser aceita pela família. Naquela época, fugir de casa era visto como um escândalo moral. Para "reparar o erro", só casando de papel passado.

Em alguns aspectos, a nova vida itinerante de minha mãe se assemelhava à infância vivida por ela junto à família. Meu avô materno, de nome José, chamado de *seu* Dedé, saiu da Bahia, em um caminhão pau de arara, para tentar a sorte no interior de São Paulo. Ele seguiu a mesma saga de tantos outros nordestinos que, ao longo do século XX, fugiram da seca e da fome em sua terra natal. Gente que se transformou numa imprescindível mão de obra para o crescimento do estado mais rico do Brasil.

Seu Dedé era alvo fácil de gente mal-intencionada. Facilmente era passado para trás quando o assunto envolvia dinheiro. Mudava de negócio com muita rapidez. Montou padaria e açougues; arrendou sítios, teve gado de corte e leite, e grandes plantações de grãos. Os malandros se aproveitavam de sua boa-fé e analfabetismo para tomar seus bens.

Ficava rico de dia e empobrecia à noite. Dona Antônia, também analfabeta, apenas seguia os passos do marido. Era dele a última palavra. Ele não sabia ler e escrever, mas mesmo assim assinava documentos sem saber o que continham. Acreditava na palavra das outras pessoas e sempre caía em armadilhas que resultavam em perdas.

Por causa dessa instabilidade, meu avô sempre mudava de cidade. E levava a tiracolo a família inteira. Fez um périplo pela região de Ribeirão Preto, a Califórnia brasileira, abrindo e fechando negócios. Os filhos pareciam ter herdado a mesma tendência ao fracasso quando o assunto era finanças.

Quando havia bonança, torravam tudo sem se preocupar com o amanhã. Como os pais mudavam com frequência de cidade, os estudos ficavam em segundo plano. E nem tinham interesse em estudar. Segundo minha mãe, seus irmãos sempre tinham ideias mirabolantes para ganhar dinheiro, mas não conseguiam levar nada à frente. Quando iam empreender, pagavam tudo adiantado sem fazer análise dos riscos, ou nem sequer calculavam os custos e os possíveis lucros.

Foram tantos erros e negócios malsucedidos, que um dia *seu* Dedé faliu de vez. Na velhice, ele e minha avó tiveram de morar de favor na casa de uma das filhas. Isso era muito constrangedor para meu avô, um homem simples, mas muito orgulhoso. Sentia vergonha pela situação.

Na época em que minha mãe fugiu com meu pai, a família dela ainda vivia bem, apesar dos altos e baixos. Bem melhor que a filha, que, no circo, tinha um amor e uma "cabana improvisada" para cuidar. A primeira moradia de minha mãe no circo foi uma barraca de lona, dessas usadas para *camping*.

Havia um colchão, que era colocado sobre um tapete de serragem, para esconder a terra batida, uma cômoda e um cabideiro, do tipo arara, para pendurar as roupas especiais de meu pai, as que ele usava nas apresentações do globo da morte. As roupas de minha mãe eram guardadas na própria mala, que ela havia levado durante a fuga.

Dentro do possível, tudo era mantido muito limpo e organizado. A barraca era cercada por um deque de tábuas improvisadas. Antes de entrar, todos precisavam tirar os sapatos. Os banheiros químicos ficavam do lado de fora e eram usados de forma coletiva. Só os donos de circos tinham *trailer* com banheiro. Na falta de chuveiro, tomava-se banho num balde. Outros enchiam galões com água e usavam uma caneca para se banhar.

No primeiro giro com o Circo Barnus, Dora conheceu várias cidades, começando por Rio Verde, Jataí, São Luiz de Cáceres, Iratinga, Rondonópolis e Cuiabá. Normalmente, o circo ficava bem pouco tempo numa cidade, dali seguindo para a mais próxima. Mas, algumas vezes, arriscava outros saltos.

Numa das viagens, o circo seguiu pela rodovia Transamazônica até Porto Velho. Foi quando Dora aproveitou para visitar a família, depois de tomar coragem. E, ao contrário do que imaginava, foi muito bem recebida, com muitos abraços dos pais e irmãos. A reprovação continuava implícita nas palavras não faladas e nos olhares cabisbaixos, mas Dora precisava da bênção dos pais. E a recebeu.

Pensou em revelar as agruras, mas temia a reação da família. Não queria que tomassem as suas dores. Ela acreditava que era sua a responsabilidade de ter quebrado as regras e se aventurado. Ela arranjara o problema e precisava resolvê-lo sem envolver as pessoas que a tinham alertado sobre as desconfianças lançadas sobre o caráter de meu pai. Minha avó sempre dizia: "Este homem não serve para você".

Depois de vinte dias na casa dos pais, minha mãe retornou ao circo. Foi de avião até a capital rondoniense, com o coração amargurado. Tinha vergonha de contar o quanto estava sofrendo ao lado de quem havia escolhido viver. Em Rondônia, pelo menos um alento: conheceu artistas que só costumava ver na tevê e ouvir no rádio. Nesses momentos era contagiada por uma alegria genuína.

Nessas paradas, esteve lado a lado com Evaldo Gouveia, Jair Amorim, Waldick Soriano e várias outras celebridades da época. Esses cantores arrastavam plateias inteiras por onde passavam. E provocavam um delírio coletivo. Minha mãe era tiete de todos eles.

O mais interessante é que esses artistas, famosos em todo o Brasil, eram contratados para se apresentar no circo e acabavam virando fãs de Capy. Eles faziam apresentações exclusivas para meu pai. Nelson Gonçalves, a quem meu pai venerava, foi um deles. O cantor, que não atendia pedido de música nem do dono do circo que pagava seu cachê, fez um *show* especial para ele.

Nelson Gonçalves saiu do camarim e, já no picadeiro, mandou chamar Capy. Quando meu pai entrou, Nelson cantou em sua homenagem um tango de Carlos Gardel. O circo veio abaixo. Os outros artistas foram acompanhar a apresentação e ficaram emocionados com a reverência.

O circo permaneceu três meses na capital rondoniense, mas Capy e parte da companhia seguiram para uma temporada de quinze dias em Rio Branco, no Acre. As esposas ficaram. A logística que envolvia a mudança de endereço do circo era complicada e cara. Muitas vezes um circo se dividia em dois ou três núcleos — enquanto uma parte ia para determinado lugar, outra permanecia no local ou seguia para destino diferente.

Quando o circo ficava mais tempo num lugar e as vacas eram mais gordas, meus pais alugavam casa por temporada. Geralmente, dividiam a mesma casa com os donos da companhia ou os artistas mais bem remunerados. Não que meu pai fizesse questão de dar mais conforto à mulher, mas assim garantia as escapadas com menos pressão dos demais colegas.

Em Porto Velho, Capy voltou, sem nenhum pudor, a paquerar e namorar outras mulheres. Dora não aguentou mais e chegou a combinar com os pais a volta para a casa da família. Mas Capy ficou sabendo que Dora iria embora e tentou fazê-la mudar de planos com juras de amor eterno. Fez promessas de que tomaria jeito, que ia endireitar e se dedicar à esposa. Ela acreditou. Mas suas promessas de fidelidade não durariam mais que um verão.

A viagem seguia. Fazia calor intenso. De Porto Velho, a trupe seguiu de barco até Manaus. A viagem pelos rios da Amazônia demorava, em média, uma semana para cada local escolhido pelo circo. A cada parada, um pouco de terra firme para esticar o corpo. Dora demorou a se acostumar com a comida do Norte e Nordeste. Tinha estômago fraco, sofria enjoos em viagens longas e sempre passava mal.

Nas viagens, só conseguia comer frutas e pratos leves à base de peixe temperado com sal e limão. O enjoo aumentava com as distâncias de um lado para outro, em viagens que pareciam nunca ter fim. Tudo era muito longe, mesmo quando perto.

O circo precisava ir onde o público estava. Muitas vezes, só mudando de um estado para outro para conseguir lucro. Pelas estradas do Brasil do passado, os artistas atraíam como espectadores gente humilde que queria um pouco de ilusão para sorrir, soltar gargalhadas. A molecada seguia a caravana até onde os pés descalços e cansados podiam acompanhar.

Em Manaus, minha mãe aprendeu alguns números pequenos de circo e teve sua estreia no picadeiro. A primeira apresentação foi como *partner* do mágico. Tinha papel coadjuvante, assim como na vida ao lado de Capy. Logo depois, aprendeu a fazer contorcionismo em volta de uma corda amarrada ao seu corpo ou cabelo. Fazia duas entradas rápidas no picadeiro. Seu corpo franzino, 46 quilos distribuídos em 1,60m, era o biotipo ideal para a atração. Ela ficava presa no alto e rodopiava feito bailarina. Gostou da experiência, mas logo Capy a proibiria de ser artista.

De Manaus, Dora fez sua segunda e mais longa viagem a bordo de um barco. O circo estava de mudança para Belém. Toda a infraestrutura da companhia era desmontada e colocada na embarcação, peça por peça. Artistas e palco seguiam a mesma rota, durante dias a fio. Semanas se arrastavam e o calor não dava trégua.

Com um funcionário do
Big Park, no Uruguai.

O SONHO DA MURALHA

Em Belém, Capy deu um novo rumo à carreira e colocou em prática um projeto antigo. Algum tempo antes, ele tinha conhecido uma muralha da morte trazida ao Brasil por um alemão conhecido como Mister Tony. A muralha não precisava necessariamente acompanhar um circo. Ela podia ser montada à parte e apresentada como atração exclusiva.

Capy conversou com o empresário e compadre João Leite Salomão e viraram sócios numa iniciativa ousada. Os dois decidiram construir a própria muralha da morte. Salomão sempre teve bom tino para os negócios de entretenimento. Como secretário, uma espécie de agenciador, conseguia liberação para parques e circos trabalharem e ficava com 10% do faturamento de cada praça.

Com alguns rascunhos de ideias da montagem da infraestrutura, e muitos cálculos debaixo do braço, além de sonhos e devaneios, ambos seguiram para o norte do Paraná. Em Londrina, encontraram uma madeireira que topou a parada e lá ajudaram a construir a primeira muralha *made in Brazil*.

A muralha, construída com muito cuidado, demorou um ano para ficar pronta. A obra foi calculada milimetricamente. Nenhum encaixe das toras de madeira poderia ficar fora do que havia sido desenhado no papel. Ninguém sabe até hoje como eles conseguiram, sem conhecimento nenhum de engenharia ou arquitetura, fazer os esboços do projeto.

No mesmo ano em que meu pai e Salomão começavam a construir sua muralha, Elvis Presley arrancava aplausos de milhares de fãs no mundo inteiro por sua atuação em "Carrossel de Emoções" (*Roustabout*). No filme, o personagem dele trabalha num parque de diversões e sonha em ser o astro da muralha da morte.

Numa das cenas, Elvis, ainda aspirante à motociclista acrobata, faz uma manobra conhecida como *giroflex* e cai. Logo depois de dar as primeiras arrancadas na motocicleta, o personagem despenca de três metros de altura. A muralha que aparece no filme do rei do *rock* é bem menor em tamanho e largura do que aquela que o rei Capy construiu e na qual se apresentava.

Da altura em que Elvis caiu, os grandes pilotos apenas esquentavam os motores das motocicletas envenenadas. O *show* para valer era bem acima de cinco ou seis metros do chão. O resto era apenas ensaio.

Quando a muralha de Capy e Salomão ficou pronta, o Circo Barnus estava na cidade de Belém. O dono da companhia não queria perder seu maior astro, mas o ajudou a seguir seu sonho. Pagou as passagens para São Paulo de Capy e dos outros colegas que formariam a nova trupe.

Capy viajou para a capital paulista com Salomão e a mulher, Cida; com o parceiro Mister Richard e um empregado de confiança de Salomão, o Índio. Lá, ficaram hospedados por alguns dias na casa do cunhado do dono do circo, conhecido no meio artístico pelo apelido de Corumbá. Bastante badalado à época, ele agenciava cantores do porte de Elis Regina e Jair Rodrigues que, por coincidência, estava de férias na casa dele.

De São Paulo, o grupo seguiu para Londrina. No Paraná, eles dariam início a uma nova era, o começo de uma nova jornada. A história da muralha da morte brasileira começaria ali, em 1964. Tinha as mãos, os pés, o coração e o talento de Capy, do desenho à montagem da infraestrutura, passando pelo domínio da execução do número em seu palco cilíndrico.

O traço de cada linha foi adequado às necessidades do número. Não havia uma patente registrada da original. A cópia ficou idêntica. Mas ainda era preciso testar a muralha, se os seus contornos estavam mesmo dentro dos cálculos previstos para receber as aceleradas a oitenta, noventa, cem quilômetros por hora.

Depois de uma semana de treino e muitos testes do equipamento, a muralha estreou em Londrina. E dali seguiu para outras cidades do norte paranaense, como Cambé, Cornélio Procópio, Jacarezinho, Andirá e Maringá. O grupo tinha mudado de *status* e já não ficava mais em barracas improvisadas — agora, hospedava-se só em hotéis.

A estreia chamou a atenção de toda a imprensa da região. Jornalistas e radialistas queriam saber e mostrar como funcionava aquela "geringonça", o que aqueles loucos faziam dentro daquele cilindro gigante e inusitado. Com um carro de som, o espetáculo era anunciado pelas ruas da cidade, mas a principal estratégia do sucesso da dupla de pilotos Capy e Mister Richard era mesmo a propaganda boca a boca. Quem assistia ao *show*, recomendava para vizinhos, parentes e amigos.

Um ano depois, em Maringá, a muralha da morte passou a integrar os atrativos de um parque de diversões. O dono, por coincidência,

Quanto mais pertinho do público, mais arriscadas eram as manobras.

também se chamava Salomão, mas carregava o sobrenome Fuhrer. Foi exatamente nessa época que Capy revelou para minha mãe seu maior segredo. Dora, que pensava morar com Antônio Alberto Fiordilino, soube então que o verdadeiro nome do meu pai era Antônio Francisco Iunovich.

Minha mãe compreendeu os motivos que o levaram a usar outra identidade e a desertar. Confiou na história do companheiro. E, mesmo involuntariamente, acabou se tornando cúmplice. Capy contou o quanto sofria por isso, que sentia saudades de casa, mas não podia visitar a mãe. E que a Argentina tornara-se uma terra proibida para ele, onde temia ser preso e condenado.

Depois do Paraná, a atração seguiu para Santa Catarina e Rio Grande do Sul, sempre com público fiel. Os sócios da muralha dividiam os ganhos, depois de pagar 30% do faturamento ao dono do parque. Em terras catarinenses, Mister Richard se acidentou e abandonou a parceria. Capy ficou um bom tempo atuando sozinho, até formar dupla com Nino, que ele conheceu em Passo Fundo, no Rio Grande do Sul, ainda em 1965.

Mas, se por um lado Capy tinha se aberto e revelado seu segredo, conquistando a confiança e o apoio da mulher, naquele mesmo ano, na capital gaúcha, Dora viveria uma das piores experiências ao lado de meu pai. Capy engraçou-se com uma mulher, sem dizer que era casado. Os pais dela, figurões da sociedade local, queriam obrigá-lo a se casar. De madrugada, a polícia invadiu o *trailer*, onde ele dormia com minha mãe, e levou Capy para a cadeia, algemado.

Meu pai ficou dois dias preso. O advogado Alceu Colares, que anos mais tarde tornou-se governador do Rio Grande do Sul, conseguiu liberá-lo com base num *habeas corpus,* e com a promessa de Capy, aos pais da moça, que se casaria com ela.

Em liberdade, para evitar mais transtornos, Capy comprou a parte de Salomão na muralha da morte e atravessou a fronteira para o Uruguai, país que sempre o recebia e o salvava quando ele estava em apuros. Para Príncipe Nino, a fuga era oportuna, pois ele também andava encrencado com mulheres. A dupla aprontava dentro e fora da muralha.

No Uruguai, a dupla conheceu o empresário Ramon Carrasco. Praticamente todas as atrações dos parques ou dos circos só entravam naquele país por seu intermédio ou agenciamento. Começava ali o melhor período para El Gran Capy e Príncipe Nino.

Cartaz promocional do Globo da Morte, de 1963, em Belém (PA): Charles Torres, Capy e Mister Richard.

NO URUGUAI, CAPY E NINO VIVEM DIAS DE GLÓRIA

Durante dez anos — entre 1965 e 1975 —, Capy e Nino viveram um período de fama e muito dinheiro, aventurando-se pelo Brasil e Uruguai. No Uruguai, onde outros brinquedos de parque se somavam à atração da muralha da morte, como chapéu mexicano, roda-gigante, barracas de tiro ao alvo e outros, a dupla foi aplaudida por um público que não se cansava de admirar suas proezas.

Por todos os lugares que passavam eram tratados como celebridades. E Capy sabia como atrair a atenção. Quando o parque chegava a uma cidade, ele fazia um desfile com seus carrões e motos. Nos melhores tempos, chegou a ter, além das máquinas de trabalho — duas Indians 700 cilindradas —, quatro motocicletas de passeio, entre elas uma Norton e uma Maycon, todas de 500 cilindradas.

A coleção incluía ainda um caríssimo Simca Chambord, montado no Brasil, e um Cisitalia, carro esportivo especial fabricado por uma pequena empresa italiana, com mecânica Fiat. A exibição dava resultado. O parque recebia muitos visitantes, e as sessões da muralha da morte lotavam. Em quase todas, o público chegava à capacidade máxima: 200 pessoas. Os artistas aproveitavam para faturar. E até exageravam, fazendo apresentações sucessivas. O trabalho começava às 14h e seguia até a madrugada.

Não importava a quantidade de pessoas na plateia, o *show* sempre se renovava com a garra da dupla. Quando estavam exauridos pelas apresentações, tomavam bastante líquido para não desidratar. Esqueciam até que precisavam se alimentar. E tomavam cuidado: a ingestão de qualquer alimento condimentado ou forte podia tirá-los do espetáculo.

O resultado de tanto esforço se traduzia em dores nas pernas e assaduras na virilha, de tanto sobe e desce das máquinas. Meu pai chegou a sofrer queimaduras de segundo grau por causa da fricção das pernas em contato com o suor e a roupa que usava para o número.

Em compensação, o dinheiro era abundante quando o espetáculo caía no agrado do público. Além de contar com a bilheteria do *show*, a dupla tinha uma renda extra com a venda de fotografias autografadas. Nos locais onde o parque se instalava, eles contratavam alguém para fazer fotos oficiais da apresentação da dupla. Essas fotos eram vendidas na frente da muralha e também em lojas do comércio local. Dificilmente sobrava alguma.

O dinheiro pagava as despesas do parque e garantia uma boa vida para os motociclistas, que se hospedavam em hotéis de alto padrão, frequentavam os melhores restaurantes e usavam roupas caras. Capy, vaidosamente, ostentava muitas joias, como anéis e medalhões. Um colar com o número 13 cravado de brilhantes era seu amuleto da sorte naqueles tempos de glória.

E ainda havia as mulheres. Depois das apresentações, elas faziam fila para conhecer a dupla. Os dois aproveitavam a fama para ter encontros com duas ou três no mesmo dia. O único cuidado que tinham era marcar horários diferentes. A tática nem sempre dava certo e, às vezes, era inevitável que uma soubesse de outra, o que gerava brigas. Sem contar os problemas com namorados e maridos ciumentos, que vez ou outra obrigavam os forasteiros a buscar outras paragens.

O assédio das fãs era tão grande, que muitas mulheres se ofereciam para lavar suas roupas e fazer comida para eles. Era uma histeria coletiva. Nino ainda era solteiro, mas Capy, mesmo casado, não via nenhum impedimento para ter suas aventuras amorosas fora do casamento. Pelo contrário.

Em Rivera, no Uruguai, entrevista à tevê.
Ao lado direito de Capy, o parceiro Nino.

12

GENEROSIDADE DE CAPY, AZAR DE NINO

Nino e Capy eram ciumentos com as motos de trabalho. Nas Indians, só os dois podiam mexer. As máquinas passavam por manutenção permanente. Antes das apresentações, eles faziam uma revisão rigorosa no freio, nos pneus e, principalmente, no carburador... que pregava, vez ou outra, uma peça nos motociclistas.

No meio do espetáculo, eventualmente, uma das motos pegava fogo. Isso acontecia normalmente quando a moto estava a quarenta e cinco graus de inclinação. O combustível vazava do carburador e, em contato com o motor superaquecido ou com alguma faísca provocada pelo atrito de alguma peça da moto, pegava fogo.

Tanto Nino quanto Capy traziam no corpo inúmeras marcas deixadas pelas chamas. Nino, o que mais se queimava, chegou até a ser conhecido como Homem Tocha. Foram muitos acidentes com queimaduras de primeiro, segundo e terceiro graus; cirurgias reparadoras e de emergência, luxações, braços, costelas e até pernas quebradas, vivendo quase sempre sob risco de morte. Certa vez, Capy ficou enfaixado da cabeça aos pés. Ele tinha mais de 200 pontos costurados pelo corpo.

Durante as apresentações, Nino e Capy se falavam por códigos. Tinham tanta intimidade e domínio do que faziam, que uma troca de olhares era suficiente para saber que algo não estava bem. Quando uma das motos apresentava alguma falha, o parceiro assumia o comando das apresentações, sem que o público percebesse o que havia nos bastidores. Só os acidentes não dava para esconder. Era vida real. Eventualmente, eles desabavam.

O PRIMEIRO FILHO NÃO SOBREVIVEU

Em 1967, numa dessas idas e vindas do Uruguai, o parque estava em São Pedrito, no Rio Grande do Sul, quando Dora engravidou do primeiro filho. Minha mãe queria muito ter filhos, mas tinha dificuldade de engravidar. Teve vários abortos espontâneos até conseguir levar uma gravidez adiante. O primeiro bebê nasceu prematuro e não sobreviveu. Antônio foi sepultado em terras gaúchas.

Um ano depois, nova gravidez. Mas, com medo de outra experiência frustrada, ela tomou um ônibus e viajou quarenta e oito horas até chegar a Ribeirão Preto, onde receberia a atenção da irmã Alice e teria melhores condições para dar à luz. Alice tinha curso de enfermagem e poderia ajudar também nos primeiros cuidados com o bebê.

Com medo de não sobreviver ao parto, Dora pensava que o filho poderia ficar com sua família, e a intuição quase se confirmou. Aos oito meses e meio de gestação, teve contrações fortes e foi às pressas para o Hospital das Clínicas. O parto foi difícil. Foi preciso fazer uma intervenção com a utilização de fórceps.

Apesar da dificuldade e de todo o desespero envolvendo aquela gravidez, ela ficou feliz em ter a companhia de um filho. Já não mais se sentiria tão sozinha. Depois de três meses, voltou ao Uruguai, acompanhada da irmã. Capy ficou contente com a chegada do primogênito, mas não mudou sua rotina. Levava a mesma vida de solteiro de sempre. Mesmo assim, Capy cobrava mais filhos, e Dora voltou a engravidar pouco mais de um ano depois.

Sem recursos no parque para ter uma gravidez tranquila, o casal decidiu que seria melhor para minha mãe morar com a mãe de Capy, na Argentina. O que ela desconhecia é que a sogra não aprovava de jeito nenhum o casamento do filho com uma brasileira. Dona Antônia demonstrava isso o tempo todo, e fazia questão de dizer que Capy poderia ter quantas mulheres quisesse. A relação só piorava com a convivência.

Eu também nasci de uma gestação de oito meses e meio. No meu nascimento meu pai estava por perto. Com a presença do marido, minha mãe se sentia mais protegida, mesmo sabendo de suas mentiras e traições. Quando eu estava com um mês de vida, meu pai voltou ao parque, no Uruguai, para trabalhar.

CAPY E NINO, CICATRIZES E QUEBRADEIRAS

Minha mãe e eu continuamos morando na casa de minha avó. Meu pai ia de vez em quando. Voltou para valer em 1972, quando quebrou a perna e teve que ficar em repouso por, aproximadamente, seis meses.

Dois anos antes, Nino também sofreu uma queda feia, após um período de apresentações seguidas. Ele desmaiou no meio da sessão e acabou despencando quando já estava quase no ponto mais alto da muralha. Teve algumas esfoliações nos braços e pernas. O susto foi maior que o estrago. Diagnóstico médico: estafa. Em menos de um mês estava de volta à rotina de mais trabalho e, também, de farra com as mulheres.

Em 1974, quando a dupla se apresentava num parque do Rio de Janeiro, Capy voltou a se acidentar feio. Mas não por estresse, e sim por exibicionismo e imprudência. Naquela apresentação, havia poucas pessoas na plateia. Mas, entre o público, estava uma das amantes do meu pai, fato que o fez ignorar que chovia muito, e que seria mais prudente cancelar o *show* e devolver os ingressos, pelo risco de acidente.

Com chuva forte, a água entrava no cilindro, por qualquer fresta, deixando a pista escorregadia e prejudicando a aderência das motocicletas. Os rodopios também ficavam mais difíceis, nessas circunstâncias. Nino alertara Capy, mas ele só queria mostrar sua habilidade para seduzir a espectadora. Era mais forte que ele. Quando Capy pilotava sua moto, sentia-se imortal, um super-herói. Sozinho, subiu na motocicleta para fazer seu espetáculo particular. Quando estava no ponto mais alto que era possível atingir no cilindro, despencou, quebrando uma perna e sofrendo sérias escoriações no corpo todo.

Em 1976, uma nova queda. Não foi tão grave, mas ficou gravada na memória do filho mais velho, Jarvas, que estava no meio da plateia. Meu irmão assistia ao espetáculo, todo orgulhoso, quando viu o pai se acidentar. Desesperado, saiu correndo para ajudar a socorrê-lo.

No acidente, Capy teve as costelas quebradas e a barriga perfurada pelo guidão da moto. Os médicos diziam que ele não voltaria mais a pilotar, mas, dois meses depois de sair do hospital, ele estava de volta ao *show*.

NA ARGENTINA, O PESADELO DE DORA

Voltando a 1972. Quando meu pai se acidentou no Uruguai obrigou-se a passar uma temporada na casa de Dona Antônia, na Argentina, enquanto Nino continuava a se apresentar, embora sem o mesmo retorno por parte do público. O espetáculo ganhara fama com a apresentação da dupla, e só com um deles, o interesse diminuía.

Para Dora, a vida na casa da sogra continuava sendo um inferno. Minha avó não dava trégua, deixando claro quem mandava por ali. Além dela, só Capy tinha voz. Desprezada por minha avó, Dora tinha saudades do Uruguai, onde se sentia protegida, amada, bem acolhida, ao contrário do que encontrava na Argentina, onde ela achava que não só a sogra, mas todos a desprezavam.

De tanta mágoa, ficou doente. Depressiva, teve um problema de tiroide e seu corpo secou. Murchou com sua dor, sua saudade do Uruguai, do Brasil, dos irmãos e dos pais.

Capy nada fazia em favor dela. Depois que se recuperou, voltou a atuar no Uruguai e obrigou minha mãe a continuar na casa da sogra. Ele voltava vez ou outra e já nem disfarçava mais. Nesse período, a cara de pau dele era tanta, que levava outras mulheres para casa, quando minha mãe não estava. Para minha avó tudo isso era normal.

16

DORA, GRÁVIDA, VOLTA AO URUGUAI

Capy tinha razões muito particulares para manter a família em Morón. No Uruguai, ele chegou a manter outra mulher morando no parque. Minha mãe começou a desconfiar que algo assim estivesse acontecendo para que meu pai evitasse a volta dela com os filhos.

Cada vez mais desconfiada e cansada de conviver na casa da minha avó, minha mãe decidiu voltar por conta própria, contrariando as ordens do marido. Mas esse retorno não seria fácil, porque minha mãe tinha alguns problemas para resolver antes. O maior deles era sair do país sem autorização de viagem para crianças, Jarvas e eu, e conseguir dinheiro para comprar as passagens.

Mesmo apreensiva, achou que valeria a pena arriscar. Ao ser barrada na alfândega, durante a fiscalização de rotina, minha mãe quase surtou.

Ela contou seu drama, chorou, implorou, pediu pelo amor de Deus. Relutante, mas sensibilizado pela dor de mãe — isso poderia custar sua carreira —, o patrulheiro liberou a passagem dela e das crianças.

Estar em solo uruguaio trazia um alívio indescritível. Ela estava longe daquele cenário de horror. Mas, na travessia do Rio da Prata, viu-se em nova enrascada: estava sem dinheiro até para alimentar os filhos. Deixando a vergonha de lado, abordou uma freira, que viajava na embarcação, e pediu ajuda para comprar o lanche do Jarvas, o leite para a minha mamadeira e ainda para completar a passagem de ônibus até a cidade onde estava o parque, a poucos quilômetros dali. Conseguiu.

Na chegada ao parque, minha mãe confirmou o que já pressentira. Estava sendo traída. Havia uma mulher na sua cama. Para piorar toda a situação, Capy disse que ela não tinha nada o que fazer ali. Com duas crianças de colo, minha mãe estava ainda mais perdida. "Volte para o lugar de onde você veio", disse meu pai.

Ela disse que nunca voltaria para a casa da sogra, nem a passeio. E ameaçou ir embora para o Brasil. Mas Capy disse que, se fizesse isso, tiraria os filhos dela. Dora engoliu o pouco do orgulho que restava, exigiu que ele mandasse a outra mulher embora e ficou, mas com a certeza de que não aguentaria mais viver no meio desse pesadelo. Queria ir embora de vez.

Dizem que meu pai teve outra filha no Uruguai, mas essa informação nunca foi confirmada. Esse assunto sempre foi tabu em casa. Nem meu pai foi atrás para saber, nem minha mãe. E os filhos também não tiveram interesse. Minha mãe engravidou novamente pouco tempo depois do retorno ao parque.

O casamento degringolava enquanto a barriga crescia. O tempo passava, mas não amenizava a tristeza por uma aposta errada. Aos

Cuando la vida y la muerte corren paralelas

ANTONIO ALBERTO CAPI que maravilla y eléctriza a N. Helvecia con sus acrobaci

"lisa y vertical" de 5 metros de altura por 9 mts. de diámetro, desarrolla sus números que merecen a los mayores comentarios de todas las índoles, pero con un solo denominador común: "que Capi es maravilloso, único y sensacional".

No en vano fue el vencedor de la medalla de oro en Brasil, donde maravilló y se impuso ante América toda.

Nueva Helvecia, merced al esfuerzo de la Comisión de Exposición del 75 Aniversario tiene el privilegio de admirar y aplaudir a este "coloso" que por esa invitación hoy lo tenemos entre nosotros y dispuesto a demostrar que lo que decimos es muy pobre comparado con lo que él hace dentro de esa muralla infernal.

Nuestra ciudad además, al igual que todo el interior del país, es la primera vez que se le brinda la oportunidad de admirar "La Muralla de la Muerte", ya que únicamente, Montevideo, en 1955 tuvo la suerte de asombrarse con un espectáculo de esta naturaleza que en aquel entonces al igual que ahora levanta

BASQUETE

Jornal uruguaio destaca apresentação de Capy: "Quando a vida e a morte 'correm paralelas'".

oito meses de gravidez, minha mãe conseguiu convencer meu pai de que seria melhor ela viajar para Ribeirão Preto e dar à luz perto da família. Ele não a acompanhou na viagem.

Já em Ribeirão Preto, os filhos foram batizados. A madrinha de Jarvas foi tia Tide; a minha foi tia Maria. E Jader, o caçula, nasceu no tempo certo, quando a gestação completara nove meses. O parto foi tranquilo, e minha mãe tinha o conforto de estar perto de quem a amava. Viu o tempo passar, sem sobressaltos. Não tinha mais esperanças de voltar a ver Capy.

Depois de um longo tempo, quando Jader já estava com oito meses, meu pai apareceu na casa da minha tia Aparecida, onde minha mãe estava hospedada de favor. Ele trazia pacotes e mais pacotes de presentes e mil promessas de que a vida de boêmio era coisa do passado.

Capy trouxe lembranças para todos da família, gente conhecida ou não. Os sobrinhos ficaram extasiados com a simpatia e generosidade do meu pai. Não parecia ser o mesmo homem que minha mãe descrevia, se lamuriando.

A chegada de Capy é uma das mais fortes lembranças que guardo da infância. Ele me trouxe um vestido de bolinhas pretas, com gola vermelha, e um ursinho de pelúcia. A minha emoção saltava aos olhos. Como era bom ter meu pai de volta!

Por anos, guardei aquele vestido. Não conseguia me desfazer dele nem quando já era moça. Minha infância estava ali. Eu era uma menina ingênua, amorosa e apaixonada pelos meus pais. Aquele mundo para mim era perfeito. Não me importava se estávamos mal de dinheiro, se eu não tinha a boneca perfeita, se a minha roupa não era nova. Eu só queria estar ali, no abraço deles.

Como guardávamos muitas quinquilharias e fazíamos muitas mudanças, meu vestido acabou sumindo. Dele ficou o registro numa foto 3x4, na qual eu estou com o cabelo curto. Ganhei o vestido aos dois anos de idade e, aos cinco, ele ainda servia em mim.

FICOU TUDO POR LÁ...

Quando meu pai foi reencontrar a família em Ribeirão Preto, já não estava no Uruguai. Ele teve problemas com o Fisco daquele país, porque não declarava nada do que comprava, e a fiscalização tomou dele quase tudo que tinha. Na vinda ao Brasil, deixou para trás brinquedos do parque, carros e motos. Só com a ajuda de um amigo, que também tinha um circo e vinha para cá, conseguiu atravessar a muralha da morte.

Era o Circo Orlando Orfei, que estava de volta ao Brasil para uma temporada no Rio de Janeiro. Nino e Capy foram trabalhar lá. Mas, por azar, o período foi de muita chuva. Eles conseguiram fazer poucas apresentações, mas as mulheres não faltavam. O dinheiro era curto, mas foi mais uma época de ouro em relação às conquistas amorosas.

Na casa dos parentes, minha mãe, sem receber qualquer auxílio de Capy, foi obrigada a procurar emprego para não passar fome com os filhos.

Da esquerda para a direita, um funcionário do parque, Capy, Dora com o caçula Jader no colo e Ñata.

18

MORO EM JAÇANÃ...

Capy finalmente deu notícias. Quando terminou a temporada no Rio de Janeiro, conseguiu um contrato para instalar a muralha da morte no Play Center, em São Paulo. Ele alugou uma casa e buscou a família em Ribeirão Preto. Aquela foi uma das melhores fases de nossa vida.

Morávamos num sobradinho em Jaçanã, o bairro que ficou famoso na música "Trem das Onze", de Adoniran Barbosa, gravada pelo grupo Demônios da Garoa. Lembro que essa canção — uma espécie de hino não oficial de São Paulo — me emocionava. E me emociona até hoje. Foi minha primeira identidade com algum lugar.

É justamente dessa época a minha primeira lembrança de um parque de diversões. Eu estava com cinco anos de idade quando minha mãe nos levou para assistir ao *show* do Roberto Carlos, entre um intervalo e outro do meu pai e do Nino na muralha. Aquela multidão me assustou. Não tinha noção da quantidade de gente que um artista poderia arrastar.

Em casa, nossa grande diversão era a televisão. O programa do Silvio Santos tomava as tardes de domingo da nossa tevê em preto e branco. A vinheta de abertura (É hora, é hora... de alegria... vamos sorrir e cantar. Do mundo não se leva nada, vamos sorrir e cantar... *laralalá, laralalá...*) provocava um efeito de encantamento em ondas. Era o programa da família reunida. Vivíamos num mundo muito particular.

Eu sonhava ser a Cinderela do programa Silvio Santos. Nesse quadro, uma menina, normalmente de origem humilde, virava princesa e ganhava muitos presentes. Eu queria ser essa princesa, para ganhar bonecas, casinhas, panelinhas e bichinhos de pelúcia. E ainda daria para meus pais uma casa repleta de eletrodomésticos novinhos em folha.

Mas o sonho ficou preso na tela da tevê. Embora a infraestrutura do Play Center fosse muito boa, os ganhos com as sessões da muralha da morte eram divididos, e não se comparavam ao que meu pai arrecadava quando tinha um parque inteiro. Faltava dinheiro para meu pai, faltava dinheiro para a família.

Essa situação financeira bem capenga pode ser percebida num dos álbuns de família daquela época. Nas fotos, nós, as crianças, estamos com roupas baratas e calçados surrados, com as "bocas abertas", como se dizia dos sapatos de solas abertas. As imagens mostram uma família comum com anseios de gente simples.

No Play Center, quem narrava o espetáculo era o radialista Beni Andrade, que em 2014, trinta e quatro anos depois, ainda via Capy como uma celebridade. Em plena atividade na TV Candelária, da Rede Record, e na Rádio Parecis FM, em Porto Velho, Rondônia, Beni lembra que, nas apresentações da muralha da morte, era comum a presença na plateia de artistas e craques de futebol. Sempre muito profissional, Beni conta que, uma vez, quase não conseguiu seguir o *script* da apresentação. Ele teve um ataque de risos ao iniciar a narração quando percebeu na plateia Ronald Golias, um dos maiores comediantes que o Brasil já teve.

Capy e Nino seguiram o espetáculo como se nada tivesse acontecido. Depois da apresentação, Ronald Golias foi pedir autógrafo aos motociclistas. Beni tem por Capy não só admiração, mas também uma imensa gratidão. O argentino marrento foi generoso com o amigo, garantindo ao locutor um bom salário mesmo quando a situação financeira não estava muito favorável.

No baú de recordações de Beni estão fotos antigas dessa amizade. Entre elas, algumas preciosidades. São imagens raras, coloridas e em preto e branco, das acrobacias dos dois astros. Ele guarda ainda autógrafos da dupla. Beni ficou até o final da temporada, quando passou num concurso e viajou para trabalhar em Rondônia. Mas até hoje ele se questiona se não teria sido melhor ter acompanhado a dupla em novas aventuras.

No alto da muralha, bem pertinho do público, cruzada de pernas com os braços para trás.

NOTA RASGADA

Num período de baixa temporada do Play Center, meu pai viajou para a Argentina. Em casa, a situação ficou tão apertada, que minha mãe voltou a trabalhar como empregada doméstica. Ela nos deixava com a típica sensação de culpa, que ainda acomete um monte de mulheres em todo o Brasil, obrigadas a deixar os filhos sozinhos em casa para poder garantir o sustento da família. Mas ela não saía sem antes deixar inúmeras recomendações, principalmente para que não abríssemos a porta para ninguém.

Um dia, chegou a faltar até dinheiro para a comida. Eu chorava que queria minha mamadeira e Jader engrossava o coro. Minha mãe desesperou-se. Encontrou uma nota rasgada e pediu para o Jarvas entrar na padaria e pedir pão. Depois de entregar o dinheiro, deveria sair correndo. Jarvas obedeceu. Ele tinha apenas seis anos de idade.

Quando Capy finalmente voltou da Argentina, trouxe junto dois amigos para se hospedar em casa. Meu pai não tinha hora para almoçar, dormir, acordar, para nada. E os hóspedes se comportavam do mesmo jeito. Depois que ele voltou a trabalhar a situação financeira melhorou um pouco, mas as farras se tornaram ainda mais frequentes. Ele passava noites e noites fora e, quando vinha para casa, tinha brigas homéricas com minha mãe.

Às vezes, quando estava em casa e acordava da sua *siesta*, levantava de bom humor e brincava de pai e filhos. As crianças adoravam, mesmo quando suas brincadeiras poderiam parecer irritantes, como dar tapinhas, fazer caretas e dar beliscões. Adorávamos nosso pai.

20

QUANDO O HERÓI ME DECEPCIONOU

Apesar de suas ausências, de suas farras fora de casa — sabíamos que ele traía minha mãe —, eu o idolatrava. Capy era mais atencioso e carinhoso comigo do que com meus irmãos e com o resto do mundo. Estranhamente, eu ficava chateada com esse comportamento. Gostava de ser amada, mas queria que esse amor fluísse para todos da família, que minha mãe não sofresse, que meu pai não voltasse a traí-la, que meus irmãos fossem tratados com o mesmo carinho.

Ainda na infância, no período em que o pai costuma ser herói para a filha, ele me decepcionou profundamente. E essa imagem de pai herói se dissolveu por completo. Minha mãe tinha viajado para ver a família em Ribeirão Preto, e Capy ficou tomando conta das crianças. Na garagem, ele dava um brilho num de seus carros, enquanto Jarvas e eu, cada um à sua maneira, nos divertíamos.

Eu estava com um lápis perto da parede, quando Jarvas me "atropelou" com seu carrinho de brinquedo. Perdi o equilíbrio e o lápis acabou fazendo um longo rabisco. Quando meu pai percebeu a parede riscada, deu-me uma palmada forte. Foi a primeira vez que ele usou força física comigo. Voltaria a apanhar na adolescência.

Eu não me conformava com a agressão. Minha mãe dar um tapinha ou outro, tudo bem, já que ela aguentava a gente o dia inteiro. Mas meu pai, não. Naquele dia, Capy virou carrasco. Por muito tempo, guardei uma mágoa imensa dele. Primeiro, pela injustiça. Depois, por sua insensibilidade. Eu não tinha culpa. Paguei pela traquinagem de meu irmão. Como ele não percebeu isso?

21

AS BOCHECHAS DE JADER

Jader, meu irmão mais novo, era uma criança hiperativa. Quebrava os brinquedos que via pela frente e provocava todo mundo que estava por perto. Nas mãos dele, minhas bonecas logo tinham os cabelos arrancados, os olhos extirpados, as roupas rasgadas. Só tinha um jeito de manter os brinquedos intactos: deixando-os num lugar onde ele não pudesse alcançar.

Meus sonhos de bailarina — deslizando de um lado para o outro, com um esfregão (usado para dar brilho no chão da sala) — acabavam depressa quando eu ouvia o barulho de um de meus brinquedos "gritando" para ser salvo.

Jader era uma criança linda. Meu pai não resistia ao charme das bochechas ruborizadas e fofinhas dele e tascava-lhe beliscões no rosto. Capy aproveitava ainda para lhe dar palmadas no bumbum. Jader reclamava. Mas, para mim e Jarvas, era um troco às pequenas maldades que o caçula aprontava.

COMEÇA A NOSSA VIDA ITINERANTE

O compadre João Leite Salomão tinha melhorado de vida, comprou um parque e chamou meu pai para acompanhá-lo com a muralha da morte. Salomão estava viajando pelo estado de Santa Catarina quando fez o convite. Em Piçarras, nós também passamos a ser gente de parque, os filhos seguiriam a mesma sina do pai.

Junto com Nino, viajamos até o litoral catarinense. Eu não sabia o que nos esperava. Não tinha ideia do quanto mudaria o nosso dia a dia. Parecia ser importante quando meu pai anunciou que a viagem seria para acertar os detalhes da sociedade. Coloquei minha melhor roupa para viajar. Partimos rumo a um novo destino.

Foi uma guinada. Saímos de uma casa e fomos morar numa barraca. Mesmo assim, só ficávamos pensando na magia de viver no meio de um montão de brinquedos do parque. Naquele momento, o local onde dormiríamos e acordaríamos era o que menos importava. A gente apenas sonhava.

Na nossa barraca havia uma única repartição. A cozinha ficava na frente e, nos fundos, separado por uma cortina, ficava o quarto. Tínhamos uma cômoda para colocar as roupas, um pequeno armário na cozinha e um chão de madeira improvisado. Era a nossa nova casa. Depois de algum tempo, moramos numa barraca maior, até meu pai conseguir juntar dinheiro suficiente e comprar um ônibus-*trailer*, como aquele onde vivia a família de Salomão. No ônibus, fabricado em 1963, havia mais conforto. Tudo era adaptado, com móveis e piso feitos de fórmica.

Quando fomos para o parque, estávamos em idade escolar. Começaria ali meu pânico eterno. Seriam várias transferências de escola no mesmo ano, toda vez que mudávamos de cidade e, em alguns casos, até quando mudávamos de bairro.

A cada nova sala de aula, eu tinha a impressão de ser vista como um animal de circo, um ser estranho qualquer. Os novos colegas faziam mil perguntas, as professoras também. Eu odiava essa exposição e me sentia em permanente julgamento (será que eles iriam me aprovar?), invadida pela curiosidade das pessoas, que queriam saber quem éramos e como vivíamos. Ninguém fazia por maldade, mas eu me sentia constrangida. Eu era tímida e solitária no meu universo.

No parque, todos nós tínhamos funções, mesmo as crianças. Os adultos não tinham noção de que o que nós desempenhávamos era trabalho infantil. O fato é que as crianças gostavam de trabalhar, pois ganhavam um dinheirinho para isso. Cada um ajudava naquilo que podia e no que era necessário, dentro do limite da força física exigida e conhecimento mínimo de matemática para cobrar e dar troco às pessoas que vinham se divertir nas barracas do parque.

Para o trabalho mais pesado e de maior responsabilidade, como nos brinquedos que poderiam envolver algum risco, a administração do parque contratava mão de obra temporária. Os empregados aprendiam cuidados básicos para desempenhar a função, como exigir o uso de cinto de segurança e o acompanhamento de adultos quando o brinquedo era mais perigoso.

Era difícil contratar empregados temporários. Parques geralmente não oferecem bons salários e não costumam registrar a carteira do trabalhador. O trabalho era pesado e os horários, ingratos. As sessões sempre aconteciam à noite e também a partir das tardes dos sábados e domingos. De dia, eles ainda tinham que cuidar da manutenção dos brinquedos. Isso sem contar a montagem e desmontagem dos aparelhos, em cada mudança.

Infelizmente, gente de parque e de circo sempre sofreu preconceito e foi malvista pela maioria das pessoas. Chegavam até a pensar que ali o uso de drogas era comum. Mas, ao contrário, havia apenas um ou outro empregado que fumava maconha, droga que só fui conhecer muitos anos depois. Mesmo assim, mais por preconceito do que efetivamente por algum indício, a polícia vez ou outra dava batida no parque sob o pretexto de ter recebido denúncia de tráfico ou uso de drogas, ou de que algum criminoso estaria escondido por ali.

No parque, ninguém era santo. Alguns eram evangélicos; outros, católicos; havia os que bebiam e os que não queriam saber de álcool. Todas as tribos se encontravam ali. A vida itinerante sempre despertou curiosidade, mas sobretudo, suspeita. Só que muitas crianças de fora nos invejavam. Tínhamos à disposição no quintal de casa um parque para ser desfrutado a qualquer hora e de graça, além da grande facilidade de mudar de endereço. Podíamos dormir em Santa Catarina e acordar no Paraná, de um dia para o outro. A vida era uma aventura.

Além das motos, a paixão por carros. Aqui com um Jeep, um dos xodós de sua coleção.

23

A ESCOLA

Aos poucos, no parque do Salomão, fomos nos incorporando àquele novo modo de vida: mudança constante de lugar e, por consequência, de colégio. Eram quatro, cinco, seis, sete, oito por ano. Alguns diretores e diretoras facilitavam, mas havia os que dificultavam nossas transferências. Com uma justificativa ou outra, não queriam que deixássemos uma escola ou nos matriculássemos.

Mas estávamos assegurados pela lei que prevê a garantia de estudos para militares e itinerantes. Minha mãe tinha o discurso preparado na ponta da língua para falar de igual para igual na secretaria das escolas, caso aparecesse alguém com má vontade.

Cada escola representava uma nova rotina. Mas, em todas, invariavelmente, eu sempre era conhecida como "a menina do parque". Eu queria me enfiar debaixo da carteira toda vez que a professora me apresentava à turma dessa forma, mas era a minha referência.

Eu também ficava cansada de responder às mesmas perguntas:

— Como você consegue passar de ano?

— Como você faz para acompanhar a turma?

Não era nenhum segredo. Tinha que estudar muito. E eu me dedicava. Não me permitia tirar notas baixas. Esforçava-me para que meu boletim fosse um azul intenso do começo ao fim. Eu adorava os livros. Com os estudos, eu não viajava sobre seis rodas, como no ônibus-*trailer*. Eu podia me desprender e refugiar onde quisesse. E sabia que o caminho da liberdade passava pelos estudos.

Por causa da escola, criei uma relação doentia com o relógio. Para não perder a hora do início das aulas, dormia com um despertador debaixo do travesseiro. A cada instante, eu me virava e despertava com o tique--taque infernal que me informava: daqui a pouco a aula vai começar.

Quando entrávamos numa nova escola e estávamos atrasados em alguma disciplina, minha mãe, sabendo o quanto isso me deixava aflita, dava um jeito de contratar professor particular. Eu não queria ficar para trás. A maioria dos professores era generosa, mas alguns pegavam pesado. Era comum aplicarem prova oral para se certificarem se merecíamos ou não estar naquele determinado grupo ou sala de aula.

Os exames comprovavam que sim. Mas era, de certa forma, humilhante, já que a prova era feita na frente dos demais alunos, que não eram submetidos ao mesmo tipo de teste. Por outro lado, professores extremamente dedicados, que amavam a profissão e sabiam da importância dos estudos, facilitavam a nossa adaptação e se colocavam à disposição para ajudar. Isso significava colocar a gente para ter mais aula em salas diferentes e atenção extra.

No apagar das luzes, era nesse tipo de pessoas que eu acreditava. Era gente assim, eu sabia, que faria diferença no mundo. Foi no segundo grau que senti mais falta de uma educação menos fatiada,

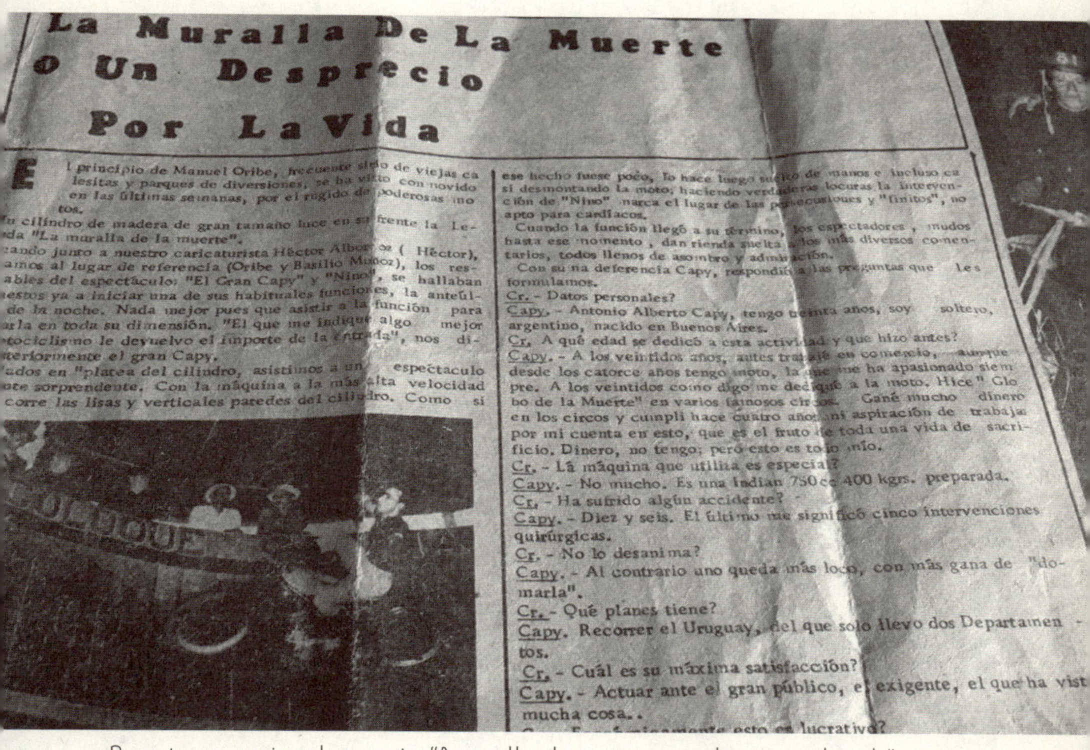

La Muralla De La Muerte o Un Desprecio Por La Vida

El principio de Manuel Oribe, frecuente sitio de viejas calesitas y parques de diversiones, se ha visto conmovido en las últimas semanas, por el rugido de poderosas motos.

[illegible]n cilindro de madera de gran tamaño luce en su frente la Le[illegible]da "La muralla de la muerte".

[illegible]ando junto a nuestro caricaturista Héctor Albor[illegible]oz (Héctor), [illegible]amos al lugar de referencia (Oribe y Basilio Muñoz), los res[illegible]ables del espectáculo: "El Gran Capy" y "Nino", se hallaban [illegible]estos ya a iniciar una de sus habituales funciones, la anteúl[illegible] de la noche. Nada mejor pues que asistir a la función para [illegible]arla en toda su dimensión. "El que me indique algo mejor [illegible]tociclismo le devuelvo el importe de la entrada", nos di[illegible]teriormente el gran Capy.

[illegible]ados en "platea del cilindro, asistimos a un espectaculo [illegible]nte sorprendente. Con la máquina a la más alta velocidad [illegible]corre las lisas y verticales paredes del cilindro. Como si ese hecho fuese poco, lo hace luego suelto de manos e incluso casi desmontando la moto; haciendo verdaderas locuras la intervención de "Nino" marca el lugar de las persecuciones y "finitos", no apto para cardíacos.

Cuando la función llegó a su término, los espectadores, mudos hasta ese momento, dan rienda suelta a los más diversos comentarios, todos llenos de asombro y admiración.

Con suma deferencia Capy, respondió a las preguntas que les formulamos.

Cr. - Datos personales?

Capy. - Antonio Alberto Capy, tengo treinta años, soy soltero, argentino, nacido en Buenos Aires.

Cr. A qué edad se dedicó a esta actividad y que hizo antes?

Capy. - A los veintidos años, antes trabajé en comercio, aunque desde los catorce años tengo moto, la que me ha apasionado siempre. A los veintidos como digo me dediqué a la moto. Hice "Globo de la Muerte" en varios famosos circos. Gané mucho dinero en los circos y cumpli hace cuatro años mi aspiración de trabajar por mi cuenta en esto, que es el fruto de toda una vida de sacrificio. Dinero, no tengo; pero esto es todo mío.

Cr. - Lá máquina que utiliza es especial?

Capy. - No mucho. Es una Indian 750 cc 400 kgrs. preparada.

Cr. - Ha sufrido algún accidente?

Capy. - Diez y seis. El último me significó cinco intervenciones quirúrgicas.

Cr. - No lo desanima?

Capy. - Al contrario uno queda más loco, con más gana de "domarla".

Cr. - Qué planes tiene?

Capy. Recorrer el Uruguay, del que solo llevo dos Departamentos.

Cr. - Cuál es su máxima satisfacción?

Capy. - Actuar ante el gran público, el exigente, el que ha vist[illegible] mucha cosa..

[illegible] esto es lucrativo?

Reportagem em jornal uruguaio: "A muralha da morte ou um desprezo pela vida".

com menos mudanças de escola. Foi também nessa época que percebi alguns colegas colando na prova. Nunca fiz isso, porque achava que era uma espécie de pecado.

Na infância e adolescência, eu acreditava que decorar era mais importante do que entender o contexto. Eu tinha que dar a resposta exatamente como a professora tinha ensinado. Infelizmente, até hoje muitos professores incentivam a *decoreba* no lugar da argumentação lógica.

Não tenho ideia de quantos professores eu tive da primeira à quarta série. Só sei que foram muitos; em média, oito por ano. Já da quinta à oitava série, esse número foi bem maior, já que havia um professor para cada disciplina.

A Muralha da Morte no Uruguai:
filas para assistir aos espetáculos.

24

MENINADA

Estudávamos sempre no turno em que havia vaga. Eu sempre gostei de estudar de manhã. Quando não havia essa possibilidade, estudava no horário que tinha. Dividíamos nosso tempo entre afazeres no parque, estudos e algumas horas para brincadeiras.

Dificilmente fazíamos amizade com crianças de fora, a ponto de convidá-las para brincar com a gente. Tínhamos medo da rejeição e de uma possível invasão nos nossos modos e costumes. Além disso, nossos pais não gostavam de ver gente "estranha" entre nós. Era uma forma de nos proteger e também de evitar o constrangimento de algum pai ou mãe ir atrás e brigar com seus filhos na nossa frente porque haviam se metido com o pessoal do parque.

Às vezes, algumas crianças e adolescentes de fora faziam amizade conosco apenas para ganhar ingresso. E eu pressentia e até entendia esse interesse. Quem não gosta de receber presente, de ser sorteado numa promoção? O que eu estranhava mesmo era quando alguns figurões pediam cortesia para os filhos. Se a pessoa tinha dinheiro, por que não pagava pelo serviço?

Enquanto as meninas do parque se comportavam bem para não serem malfaladas, conforme ensinavam nossos pais, os meninos aprontavam bastante na escola ou no parque. É cultural. Os garotos estabelecem seus códigos e se tornam espertos rapidamente. No parque, criavam até uma linguagem própria para tirar onda com o pessoal da cidade. E, embora a maioria tenha mesmo mais vivência, por ter que ficar esperto rapidinho, eram apenas otários que se imaginavam malandros.

A FORÇA DE CAPY

Capy era um homem forte. Sua força física era quase descomunal para o porte atlético dele. E Capy se aproveitava disso para colocar medo em quem quisesse se meter com a gente; botava banca entre os empregados e se exibia com seus bíceps arrojados, sempre com um olhar provocador. Encarava as pessoas como se as chamasse para a briga. Quando estava entediado, armava uma desavença para levar alguém ao chão. E sempre desbancava os mais fortões.

Depois da sessão, ele ia para um bar e, instigado pela fúria e pelo álcool, colocava um ou outro para correr. Meteu-se em tantas brigas, que não dava para entender como nunca tinha encontrado alguém à altura para fazê-lo engolir sua empáfia. Ainda mais entre valentões, que quando perdem no braço, procuram vencer na bala ou na faca. Mas Capy era homem de santo forte. E gostava de se vangloriar disso. "Tenho o corpo fechado. Nada me derruba."

E era verdade. Nem o "cão" o derrubava.

Com um funcionário do parque na garupa, Capy se exibe pelas ruas da cidade onde o parcue se instalou.

26

A TRUPE EM VIAGEM

O nosso transporte era movido à tração mecânica, mas parecia mais uma carroça. Aquele ônibus-*trailer* tinha jeito de caminhão Fenemê caindo aos pedaços. Quando era época de mudar de praça, tudo entrava num ritmo muito lento. Não havia agilidade, porque nada era muito prático ou funcional. Como o ônibus ficava parado muito tempo, a bateria descarregava e o motor demorava a pegar. Em alguns casos, só mesmo na base do empurrão. Muques finos, pequenos, grandes ou alongados e moldados ao peso do ferro da estrutura das peças que compunham o parque, davam a força necessária para a arrancada e a partida. Assim seguia a trupe.

Nada mesmo parecia obedecer à pressa de chegar logo a outra cidade. Aquele tempo se assemelhava ao transcurso da ideia do nostálgico. Passava lentamente. Era como se fôssemos personagens de um filme dos tempos do cinema mudo, em preto e branco e em câmera lenta.

Entre encaixotar o pouco que havia, muito mais tranqueira e velharia do que utilidades, e depois ajeitar tudo para a viagem, as crianças, internamente, pediam ajuda aos céus. Em silêncio, Dora e todos os outros, com certeza, também faziam o mesmo pedido.

Mudança sempre é um estresse, mesmo para quem está acostumado. E é cansativa. Só é boa quando se quer esquecer o amargor de alguma estada mal-sucedida. Algumas praças eram tão maçantes, que isso era o que vinha na cabeça de todos ao desmontar o parque. Era preciso tentar novos locais e esperar o melhor.

Quando o ônibus-*trailer* enfim partia, cada coisa, armazenada em caixas, parecia ganhar vida própria. A gente ficava de um lado para o outro, tentando acudir para que as caixas não caíssem e espalhassem panelas e pratos no chão.

A velocidade não passava de sessenta quilômetros por hora, mas o motor era muito barulhento. O ruído era tanto, que parecia perfurar até os pensamentos. A gente precisava berrar se quisesse ser ouvido durante a barulheira.

Na chegada do parque, muitos curiosos se aglomeravam para olhar. Não só em volta, mas até dentro das barracas e do ônibus. Acho que eles imaginavam que estaríamos pintados e vestidos de forma extravagante, preparados para uma sessão a qualquer momento.

Para instalar o parque era necessário alocar um terreno e preparar o restante da infraestrutura. Naquela época — e para muitos brasileiros isso ainda é uma realidade —, o acesso aos serviços básicos exigia uma burocracia danada e demorada. Conseguir a liberação de água e luz demorava até dois dias.

Nesse intervalo, se havia vizinhos por perto, pedíamos o favor de cederem um bocal de luz e alguns baldes de água em troca de ingressos. Nem todos colaboravam. Uns olhavam com desconfiança, outros faziam cara feia, mas também tinha gente boa que quebrava nosso galho.

Sem chuva, o parque demorava em média de dois a três dias para estrear. Os homens davam duro na montagem e limpeza dos aparelhos. Capy era exigente com os detalhes de tudo. Acompanhava meticulosamente como os equipamentos seriam colocados nos caminhões e descarregados depois.

Ñata, a parceira de estripulias na adolescência; e Carlito Carbajar, funcionário do parque no Uruguai.

AS VISITAS

Uma das nossas maiores alegrias era receber a visita de parentes, quase sempre por parte de minha mãe. Todos trocavam o conforto de uma moradia convencional pela nossa companhia, mesmo que só pudessem dispor de um colchão e de nossa hospitalidade.

Minha madrinha, tia Maria; e meu padrinho, tio Augusto, eram visitantes frequentes. Era um casal sem qualquer frescura. Também o tio Mário, marido da tia Tide, passava meses conosco no parque. Os parentes sabiam que para nós a visita significava um grande prestígio e que ficávamos felizes com a presença deles.

Um dos carros de Capy saía às ruas para chamar o público para assistir ao "Trampolin de la Muerte".

28

A PRIMEIRA JARDINEIRA

Da época de criança, tenho uma imagem bem vívida: a primeira jardineira que usei. Era vermelha de bolinhas brancas. Os poás sempre me deram a sensação de colo, de aconchego. E com aquela roupa eu me sentia confortável. Era o mesmo padrão da estampa do vestido que ganhei de meu pai e guardava como relíquia.

Eu sabia que aquela não era a vida que eu queria para mim. Embora aquele mundo parecesse mágico aos olhos de muita gente, eu queria ter estabilidade emocional e achava que isso eu só conseguiria vivendo de forma convencional.

O uniforme me trazia isso. Eu achava que usando uma roupa padronizada para frequentar a escola seria igual aos demais, mas eu não era nem melhor nem pior que os colegas, era simplesmente a menina do parque.

Com o tempo, percebi que o uniforme era apenas uma armadura para tentar me proteger. Eu não assumia ser a menina do parque, só mais tarde entendi isso. A escola era um palco de debates internos para mim, de grande observação. Eu analisava as pessoas e seus comportamentos. O universo das letras tinha muitas estrelas. E elas traziam esperança para mim.

A VAIDADE, A ARROGÂNCIA, A ILUSÃO

Capy sempre foi um homem vaidoso. Nas apresentações, era impecável, com o cabelo engomado, roupas modeladas ao corpo, botas engraxadas e polidas duas, três e quantas vezes mais fossem necessárias. Usava nas camisas o nome artístico bordado em letras grandes.

Antes de entrar no palco, conferia cada detalhe do figurino. Para dar leveza aos movimentos e evitar constrangimento durante as acrobacias, escolhia a dedo o tecido de suas roupas: quase todas feitas de couro com *lycra*.

Mais do que uma preocupação em usar roupa adequada à graça de seus rodopios de motocicleta no globo ou na muralha da morte, Capy gostava de causar boa impressão e ser conhecido também pela elegância. Um espetáculo daquela magnitude merecia um figurino à altura.

Ao final de cada espetáculo, os engraxates, que sempre estavam por lá, pediam a Capy: "Deixa eu assistir, deixa". Os artistas faziam uma troca bem conveniente — um ingresso por um lustre especial nas botas de apresentação.

Revendo algumas fotos de Capy, no auge da carreira e cercado de mulheres, me vem à memória James Dean. Capy era um rebelde sem causa, e talvez por isso despertasse ciúme nos homens e atraísse tanto as mulheres. Mais tarde, perdeu toda a vaidade.

Aos setenta anos, num tom saudosista, Capy sempre repetia para a família, entre uma lágrima e outra: "Tudo é uma grande ilusão".

Ele sabia que o tempo não voltaria.

FANATISMO

Como todo argentino, meu pai era um fanático pela seleção de futebol e por todas as questões ligadas ao país natal. Na Copa do Mundo de 1978, estávamos em Rio Negrinho, em Santa Catarina. Claro que, por influência do meu pai, eu torcia para a Argentina. O pessoal do parque tirava um sarro danado de mim por causa disso.

Eu até rezava para que a Argentina fosse campeã da Copa do Mundo. Eu me ajoelhava em frente à imagem de Santa Clara, que tínhamos no parque, e implorava para que ela desse uma forcinha para os jogadores argentinos. Eu acreditava piamente que a santa tinha poder para influenciar diretamente no resultado. Mas, nas ruas, o que se via era uma explosão verde e amarela, uma histeria coletiva da torcida pela seleção brasileira. O povo gritava e festejava antecipadamente o título que não viria. Mesmo temendo alguma reação ignorante por parte do meu pai, que se escondia nessas horas, os empregados se juntavam aos torcedores.

Os argentinos foram os campeões, depois de tirar o Brasil do páreo num esquema que até hoje gera polêmica. Na época, foi um escândalo. Para se classificar à final, a Argentina precisava vencer a seleção do Peru por quatro gols de vantagem. Um placar menor que esse daria a vaga ao Brasil. Naquele que foi considerado o maior escândalo da história das Copas, o Peru perdeu por 6x0. Na final, a Argentina venceu a Holanda.

Depois do escândalo, não me lembro se eu continuava acreditando na ajuda de Santa Clara.

31

A BOLADA POR UM FIO

Numa temporada em São Joaquim, em Santa Catarina, quando ainda viajávamos com o parque do compadre Salomão, a situação financeira não estava fácil. Nessas ocasiões, Capy costumava garantir um extra no jogo do bicho. Ele sempre fazia uma fezinha e acertava. O pessoal até brincava que ele parecia cigano, numa menção à arte de adivinhação.

Queria ganhar no bicho? Era só perguntar para ele quais os números que dariam na cabeça. Na verdade, ninguém sabia se ele ganhava pela teimosia da aposta frequente ou pela sorte no jogo.

Capy atribuía sua sorte ao colar que usava no pescoço, com o número treze, que para muitos é símbolo de azar, mas não para ele. Mas o amuleto não foi suficiente para assegurar os treze pontos da loteria esportiva, que "quase" faturamos.

Nino, torcedor fanático do Grêmio de Porto Alegre, ficou responsável pela arrecadação do dinheiro, organização e registro dos palpites do bolão, numa lotérica local.

Uma das partidas era exatamente do Grêmio contra o Internacional. Todo mundo achou que era vitória certa dos colorados. Durante a transmissão dos resultados da rodada pelo apresentador Léo Batista, no programa Fantástico da Rede Globo, foi uma festa geral quando percebemos que havíamos feito treze pontos.

Mas Nino estragou a festa.

— A gente não ganhou! — avisou.

Ninguém acreditou achando que se tratava de uma brincadeira do amigo.

— Como assim? Conferimos o resultado. Acertamos todos os jogos.

E ele insistia:

— Não, não ganhamos!

Para pasmo geral, revelou:

— É que eu apostei no meu time...

Indo contra a opinião geral — e sem contar nada para ninguém —, o gaudério teimoso tinha preferido apostar na vitória do Grêmio, mesmo sabendo que os colorados tinham maior chance de ganhar, como de fato aconteceu.

Depois disso, ninguém no parque conseguia ouvir a palavra Grêmio sem se arrepiar e ter ojeriza.

O DIA EM QUE CAPY CHOROU...

Também em São Joaquim, em 1980, minha mãe engravidou, aos trinta e quatro anos de idade, do quinto filho. Foi pensando em alegrar o marido que minha mãe escolheu o nome de Diego para o bebê, em referência a Maradona, astro do futebol argentino e um dos melhores jogadores de futebol de todos os tempos. Claro, meu pai era fã do craque.

Antes de escolher o nome, minha mãe costumava reunir as crianças e pedia que déssemos sugestões, colocando-as numa cumbuca. Depois, misturávamos tudo e fazíamos um sorteio para ver qual nome ganharia.

Naquele ano, a televisão exibia o seriado *Raízes*, com personagens de nomes estranhos, entre eles Kunta Kinte. Já tendo combinado sacanear nossa mãe, eram esses nomes que nós sugeríamos. Quando ela tirava os papéis e lia, a gente quase se matava de tanto rir. Era uma gargalhada só.

Diego era querido antes mesmo de nascer. Nós ajudávamos a escolher as roupinhas e queríamos muito a presença de um bebê em casa. Meu pai, contudo, parecia indiferente. Ele devia pensar que mais uma criança seria um problema para o espaço do *trailer*. No ônibus, havia só um quarto, com um beliche e uma cama de casal. No beliche, eu e Jader dormíamos embaixo e Jarvas em cima. O mais velho, mais forte e maior, tinha esse privilégio.

O ônibus era dividido em dois cômodos. No primeiro, que conjugava cozinha e sala, havia armários, geladeira, pia, fogão, televisão e uma mesa instalada sobre o motor. Na parte de trás ficava o quarto, com as camas, um armário, uma cômoda e um banheiro. Como no quarto não havia mais espaço, o berço de Diego teria que ficar na parte da frente do ônibus.

Mas Diego não faria companhia aos outros filhos.

Numa madrugada gelada, meu pai chegou tarde da noitada, o que irritou minha mãe, já bastante fragilizada. Quando se deitou, ele a empurrou acidentalmente e quase a derrubou da cama. Irritada, ela saiu do lado dele e veio deitar-se comigo e com o Jader. Nesse momento a bolsa dela estourou.

Foi uma correria até o hospital. Minha mãe foi direto para a sala de cirurgia e foi submetida a uma cesariana. Diego nasceu muito fraquinho e, naqueles tempos, criança tão prematura dificilmente conseguia sobreviver. Curiosos, eu e meus irmãos nos pendurávamos na janela do berçário para tentar ver o bebê. Mas, depois de algumas horas, Diego foi tirado da incubadora e entregue já morto aos braços da minha mãe.

Choramos muito. Nós, os irmãos, queríamos que a família crescesse, mesmo em meio a tanto aperto e dificuldade. E meu pai, que até aquele dia eu nunca tinha visto chorar, desabou e passou mal de tanta tristeza. Enquanto carregava o caixãozinho, escutava-se de longe seu choro convulsivo. Àquela altura, já não sabíamos se chorávamos pela perda do irmão ou por perceber que havia sensibilidade no coração daquele homem, que parecia sempre tão embrutecido.

Na chegada do parque, o trabalho de montagem das atrações. Aqui, a muralha perto de um aparelho de diversão.

SÓ PODE SER TRUQUE...

As proezas na muralha da morte eram tão ousadas que, eventualmente, aparecia alguém disposto a descobrir o "truque" dos pilotos para conseguir fazer o espetáculo. Entre as muitas lendas e teorias inventadas, havia quem achasse que a aderência das motos ao cilindro de madeira se devia a um ímã gigante escondido no meio da arena.

Os céticos quebravam sempre a cara. Por mais que investigassem, não encontravam nenhum indício de fraude. Até porque não havia nada de errado ou mágico. Era física pura, arrojo, coragem e um pouco de loucura, por que não? Arte regida ao ronco de um bom motor.

Alguns filhinhos de papai e outros metidos a machões pediam para tentar fazer o número. Meu pai topava, mas impunha pequenas regras para evitar acidentes. As tentativas dos aspirantes tinham que ser pela manhã e sob a supervisão dos profissionais.

Dificilmente os desafiantes conseguiam subir com a motocicleta acima da rampa, de onde se conseguia a arrancada necessária para pegar velocidade, se manter no cilindro e ir para o alto. Muitos saíam com escoriações e envergonhados por não conseguirem nem mesmo dar início à apresentação. Aprendiam que aquilo era solo sagrado. Não havia espaço para amadores.

PAPAI NOEL

O Papai Noel tinha nome: João Leite Salomão. Desde quando meus pais passaram a trabalhar no parque dele, não havia Natal que ele não fizesse acontecer. Eu cruzava os dedos, colocava meia na árvore, fazia pedidos secretos. Minha abrupta ansiedade teria eco naqueles ouvidos.

Aquele homem me presenteava com bonecas que meu pai podia me dar, mas não dava. Minha mãe não entendia por que meu pai não fazia isso, mas, quando a surpresa era jogada para dentro de nosso ônibus, eu vibrava de euforia. Não sobrava espaço nenhum para ser preenchido de alegria. Eu era presenteada, eu merecia.

Mas, no meu precário entendimento infantil, começava a perceber que aqueles presentes eram pano de fundo, num cenário estranho, cinza, duro como o cimento. Por que ele me presenteava? Qual era meu mérito para isso? Era educada, bonita, ou apenas menina?

Foi assim aos cinco, aos seis, aos sete anos. Será que há algo de maligno numa menina dessa idade? A alegria de ser presenteada carregava junto um sentimento estranho. Era como a sensação de estar suja.

Com o tempo, entendi essa incoerência íntima, que mesclava a alegria de ganhar um mimo com o medo de perder o que me era precioso, minha inocência. Aprendi o que pode estar por trás de um gesto aparentemente singelo. Mas não entendia por que meu pai não me protegia da crueldade do mundo.

Ficou uma cicatriz profunda, daquelas que ninguém quer ou gosta de mostrar. Ainda assim, considero que tive sorte. O horror que apenas se insinuou poderia ter se consumado da forma mais perversa. E vejo ainda que, num balanço de tudo, sorte foi o que sempre acompanhou minha família. Vivendo com gente de todos os naipes, entre marginais e aventureiros, nunca fomos molestados ou agredidos fisicamente.

Acho que, naquele mundo, todos queriam poupar um ao outro, criar um espaço intocável para proteger-se dos que viviam fora dele. O que havia de pior não entrava naquele espaço só nosso. E era gente solidária. Era gente pobre cuidando de gente pobre. Gente carente dando o que não tinha para arrancar um sorriso da face daquelas crianças: Jarvas, Jader e eu.

35

GEADA

Em algumas temporadas, a geada queimou todo o nosso dinheiro. Com o frio, poucos se arriscavam a passear num parque de diversões. Em São Joaquim, era preciso ficar horas aguardando o degelo das torneiras. Não tinha agasalho que nos esquentasse naquele frio tão intenso. Quando o parque ensaiava abrir a sessão, não se via uma viva alma. Nem de dia e quanto mais à noite, quando o frio se tornava insuportável. Mas meu pai insistia, acreditava que naquele mau tempo ia conseguir arrancar a venda de um ingresso qualquer. Mandava acender as luzes e, duas horas depois, apagá-las. Não havia movimento que justificasse a abertura.

Até durante o dia o frio atrapalhava, era complicado fazer a manutenção do parque naquele gelo. As intempéries não serviam por muito tempo para justificar a falta de pagamento dos empregados, mas era inevitável que o atraso perdurasse até a próxima estação. A esperança era apostar na primavera para a situação melhorar.

O GELO DO SUL COBRE O *TRAILER*

As mãos quase roxas de frio, temperatura de até três graus negativos, gelo sobre a serragem do parque. A água, quase congelada, mal saía da torneira. E, antes mesmo das sete horas, lá ia a menina, tremendo, para a escola. Um manto permanente de geada cobria a cidade de São Joaquim, no inverno de 1980. Minha mãe se condoía:

— Patrícia, não vá. Está muito frio. Fica debaixo das cobertas.

Eu apenas respondia:

— Quem está sentindo frio, eu ou a senhora? Então, deixa. Eu vou, sim!

Era com a educação que eu pretendia ganhar o mundo. Queria ser professora, depois parapsicóloga, depois escritora ou jornalista. Então, era preciso estudar.

Naqueles dias de frio intenso, minha mãe usava de algumas estratégias para aquecer os filhos. Para dar banho, ligava o aquecedor. Na hora de dormir, enrolava jornais nos pés das crianças. As cobertas não davam conta do frio.

Mesmo debaixo de uma lona, o ônibus ficava gelado. A umidade escorria lataria adentro. Parecia não haver muita diferença entre a temperatura interna e a externa.

Era também nas noites frias que meu pai mostrava seu lado solidário. Depois da última sessão, moradores de rua juntavam-se ao pessoal do parque, para espantar o frio em volta da fogueira que ele acendia. Muitas vezes, tirava o próprio agasalho para dar a alguém que precisava. Chegava a ser comovente.

Também em São Joaquim, fiz amizade com a funcionária de um supermercado. Acho que essa funcionária tinha pena de mim, percebia que o parque não estava funcionando e me dava bombons e outros docinhos. Eu não tinha como retribuir a gentileza. Lembrei que tinha um botão bordado, que guardava numa caixinha de quinquilharias, e lhe dei de presente, achando que lhe entregava um tesouro. Pobre menina!

COLÉGIO INTERNO

O meu primeiro grande afastamento do parque aconteceu em Toledo, no oeste do Paraná, quando eu tinha dez anos de idade. Meus pais me colocaram num colégio em sistema de internato para eu concluir o último bimestre do calendário escolar.

Foi uma separação dolorosa para mim. Eu era muito unida aos meus irmãos e às filhas de Salomão. Com uma delas, Jaqueline, a brincadeira que eu adorava era dançar tango. Eu fazia isso para agradar ao meu pai que, em troca, dava um dinheirinho para a gente. Seríamos as próximas estrelas da muralha? Só do lado de fora.

No colégio de freiras, lembro que eu era a mais pobre de todas as meninas. Minhas roupas de cama e o uniforme eram inferiores aos das outras garotas, mas eu sentia um orgulho danado de estar ali pela oportunidade que aquilo representava: educação melhor e certo *status*.

Na infância, pensei várias vezes em seguir a vida religiosa. As freiras gostavam muito de mim. "Nossa! A menina do parque até que é comportada, estudiosa", diziam. Era, ao mesmo tempo, ruim ouvir aquilo, pelo preconceito reforçado cotidianamente, mas valia pelo elogio.

No internato, eu via a saga das meninas namoradeiras. Algumas alunas mais velhas pulavam o muro do colégio para namorar escondido. As mais novas ficavam cuidando para que elas pudessem flertar sem serem apanhadas em flagrante. Era coração em sobressalto por todas as bocas.

Acordávamos muito cedo. Às seis horas já estávamos prontas para tomar café. Quem estudava de manhã, prosseguia com um reforço à tarde, e vice-versa. Logo depois do entardecer, estávamos na cama. Jantar às dezoito horas. Hora de nanar, às vinte e uma horas.

De certa forma, eu estava adorando aquela vida regrada. Só não fiquei mais tempo no colégio porque meus pais não tinham como pagar as mensalidades.

38

FARTURA EM CAMPO MOURÃO

De volta à rotina das mudanças. Em poucos lugares o parque faturou tanto como em Campo Mourão, no interior do Paraná. Lá, jorrava dinheiro durante a feira de exposições. Por muitos anos, conseguimos ganhar a concorrência para participar da festa, mas, para isso, fazíamos parceria com donos de outros parques, garantindo assim uma infraestrutura melhor.

Com a parceria, conseguíamos aparelhos de última geração, os mais modernos que havia na época. O nosso parque era modesto e não tinha condições de concorrer sozinho numa licitação.

O problema é que, logo depois da festa, o parque acabava ficando no terreno por muito tempo. O movimento caía porque perdia o frescor da novidade e as pessoas enjoavam da atração. O parque, algumas vezes, ficava instalado longe da área urbana, dificultando o acesso do público. Era prejuízo na certa. E assim acabavam as parcerias com outros parques.

Meu pai tinha um gênio difícil, era teimoso e ninguém queria perder dinheiro. Com o tempo, ele ficou com fama de não ter ambição e de se acomodar em qualquer local. Os outros donos de parque perdiam a paciência com a teimosia do meu pai e, para não perder dinheiro e amizade, rompiam as sociedades temporárias.

Alguns empregados eram como se fossem da família. Tínhamos laços bem próximos de cumplicidade. Ninguém mexia com nosso pessoal sem que outro interferisse. Uns até ajudavam minha mãe nos afazeres da cozinha. Ela cozinhava para todos do parque. O trabalho mal terminava e já era preciso começar novamente, para dar conta das refeições de toda a "peãozada" e limpar tudo.

A rotina da cozinha começava com o preparo do café da manhã, que incluía pão com margarina, uma fruta e chá. O dia começava às sete horas. O parque tinha aproximadamente trinta empregados. Diariamente eram servidos cinco quilos de arroz e dois de feijão, além de carne e salada. Aos dez anos de idade eu aprendi a cozinhar para ajudar minha mãe.

Depois do jantar, minha mãe trabalhava numa barraca ou na bilheteria do parque. Quando ela não podia nos levar até a escola, deixava isso a cargo de alguém de confiança. Quando chovia, o terreno do parque ficava coberto de lama. Havia ainda as inundações e os alagamentos. Para entrar ou sair, os ônibus e caminhões patinavam. Nossas roupas e calçados ficavam cheios de barro. Ninguém podia entrar em casa sem antes tirar os sapatos. Minha mãe forrava o chão com folhas de jornal.

Antes de cada estreia do parque, todos os brinquedos e barracas eram lavados e polidos. Uma camada espessa de serragem era jogada sobre todo o terreno para evitar poeira. Os empregados tinham que usar roupas limpas, fazer a barba e se apresentar bem para atender ao público. Boa aparência e cortesia eram o melhor cartão de visita.

No ônibus em que morávamos, eu tinha um canto preferido. Era na frente, onde ficava a televisão, sobre uma mesa de fórmica adaptada. Sentada numa das cadeiras, eu assistia a desenhos animados e ao Jornal Nacional. Sempre gostei de acompanhar o noticiário, pela tevê ou pelo rádio. Na hora do jornal, meu pai me fazia companhia.

Coragem – e um pouco de loucura – ao soltar as mãos a sete metros de altura.

39

O MENINO DO PARQUE

No dia a dia, todos tinham uma responsabilidade, mas aquele menino parecia carregar o parque nas costas. Na puberdade, que sonhos passam pela cabeça de um garoto? Os de Jarvas eram simples: tomar sorvete, preencher palavras cruzadas, jogar pelada com os amigos... Mas meu irmão mais velho também trabalhava. E muito, mesmo quando criança. De noite, ele cuidava de uma das bilheterias; de manhã, da manutenção dos aparelhos do parque. E ainda dividia seu tempo com os estudos.

A cada novo endereço, a disciplina de um soldado pronto para mais uma dura jornada: hora de desmontar, carregar e transportar a mudança, para depois montar tudo em outro local.

Bem antes dos dezoito anos de idade, Jarvas aprendeu a dirigir. Puxava no braço caminhões antigos e pesados, num trabalho árduo até mesmo para um adulto. E ele, menino, ainda dava risada e se sentia feliz com a própria sorte.

Ainda que a rotina fosse puxada, Jarvas sentia-se privilegiado por ter um parque em seu quintal. Os brinquedos do parque eram uma extensão dos seus próprios brinquedinhos. Ele saboreava cada oportunidade que aquele mundo encantado lhe oferecia. Parecia encantado como um menino num mundo de Lego.

Sempre simpático e atencioso, tinha uma legião de amigos. Comunicativo, na escola chamava a atenção pela boa educação e facilidade de adaptação.

Era sempre um dos primeiros da classe. E, em matemática, divertia-se fazendo os cálculos. Para Jarvas, trocar de escola a cada dois ou três meses não representou aparentemente qualquer trauma. Já adulto, ele se vangloriava: "Foram mais de cem escolas diferentes até o segundo grau".

Na adolescência, Jarvas ganhou um *trailer* para morar sozinho, o que era um luxo no nosso meio. Ali, ele tinha uma cozinha/sala, um quarto e um banheiro. E uma tevê só dele. Jarvas já trabalhava numa barraca de jogo, na qual o apostador ganhava dinheiro se fizesse a opção pelo time certo.

Num caderno grande, Jarvas escrevia letras para músicas que sonhava um dia gravar e fazer sucesso. Mas personalizava o próprio Evandro Mesquita e sua Blitz no jeito de falar, corte de cabelo e se vestir. Adorava o cantor e sua banda e fazia imitações dele nas festinhas da época.

Ele chegou a usar o nome artístico de Jhony para se apresentar e se identificar para as meninas. Achava que o pseudônimo tinha uma pegada de fama. O pessoal acreditava. De vez em quando, aparecia uma garota perguntando pelo tal personagem. A gente ria muito.

40

OS PÁSSAROS

Capy adorava aventuras, motos, carros, pescaria e churrasco. E colecionava passarinhos. Chegou a ter mais de quinze gaiolas com pássaros de diferentes espécies. Elas eram penduradas na varanda do ônibus, coberta por um toldo de lona e com piso de madeira, que lembrava um deque, onde minha mãe colocava cadeiras, poltronas e decorava com plantas.

De longe se ouvia o canto de sabiás, curiós, canários e pintassilgos. Eu olhava e achava triste. Como aqueles passarinhos poderiam ser felizes, presos em gaiolas? Mas Capy explicava que pássaros criados em cativeiro só sobrevivem assim. Se os soltássemos, eles morreriam. "Não teriam nenhuma chance na natureza", dizia meu pai. E os pássaros cantarolavam.

Num espetáculo no Brasil, outra proeza de Capy: a moto sob o comando de um só pé.

41

NA INSÔNIA, O MEDO DOS BRINQUEDOS

Nunca gostei de aventuras radicais e achava que os brinquedos mais perigosos eram um risco iminente de acidentes. Eu tinha pavor só de imaginar que algum deles poderia provocar a queda ou a morte de alguém. Como aguentaríamos conviver com esse tipo de remorso? Eu não tinha culpa, era só uma criança, mas perdia o sono pensando nisso.

O que faríamos? Não tínhamos dinheiro para pagar indenização. E seríamos ainda mais discriminados. Eu me imaginava ganhando um prêmio de muito dinheiro para não precisar mais do parque, não ter aqueles pensamentos recorrentes de acidentes nos brinquedos.

Mas a realidade era aquela. Com muito ou pouco movimento, havia custos com água, luz, alimentação do pessoal e manutenção dos equipamentos. Muitas vezes, meu pai tinha que pegar dinheiro emprestado de parentes e amigos para bancar uma temporada inteira.

Sair de uma praça para outra sem nenhum faturamento é quase suicídio, um pulo para a falência. Mas, independentemente se a situação ia bem ou mal financeiramente, meu pai repetia o mesmo rito todos os dias. Capy ia para o bar e começava a beber por volta das onze horas. Ficávamos com o coração aflito imaginando que ele voltaria e destrataria todo mundo. Capy e bebida formavam uma mistura infernal. Com duas ou três cervejas, meu pai assumia outra personalidade, ainda mais forte e cruel.

Os olhos dele ficavam esbugalhados, com um formato assustador. A voz ficava mole e chicoteava maledicências para todos os lados. Chicotes cortantes a cada palavra pronunciada. Era um diabo. Quando vinha para o almoço, depois de beber, tentávamos ficar o mais longe possível dele para evitar encrencas e ouvir xingamentos.

Só almoçava se fosse servido. Não importava se minha mãe estava lavando, passando roupa, ou fazendo qualquer outra tarefa doméstica, perto ou longe. Ela devia colocar o almoço no seu prato. Se ela não fosse, ele gritava e quando ia, era espezinhada com provocações típicas de bêbados chatos.

A gente odiava vê-lo agindo daquela forma e detestava também a subserviência de minha mãe ao atender a seus caprichos. Era irritante. Ele provocava, fazia de tudo para que a mulher perdesse o controle emocional. Mas, calejada de tanta resiliência, ela era complacente e aguentava tudo, quase emudecida. Menosprezando minha mãe, meu pai tentava expurgar, naqueles gestos tão grosseiros, toda a sua soberba e frustração.

Mulherengo, Capy não perdoava nem as empregadas que minha mãe conseguia a duras penas contratar para ajudá-la. Para Capy, mulher existia para servi-lo. Era vista como um gênero menor. Não devia pensar, questionar. Tinha que aceitar seu destino. A gente tentava dissecar aquela personalidade. Por que ele era tão rude, tão intenso, tão complexo, tão distante? Não encontrávamos as respostas. Nossos parentes diziam que ele era assim por causa do gênio forte do pai dele.

Nós aprendemos a odiar e a perdoar aquele comportamento tantas vezes quantas fossem necessárias. Mas havia um contrassenso que não entendíamos. Suas cantadas desrespeitosas se contrapunham ao moralismo, como quando, em tom sério, exortava os filhos a evitarem relacionamentos sexuais. O falso moralismo ficava evidente.

Nossa fuga desse inferno eram leituras, composição de músicas e poemas infantis, e as brincadeiras típicas da idade. Sonhávamos com o dia em que ele mudaria o modo de agir; seria mais amigo dos filhos e um bom companheiro para minha mãe. Um super-herói ou uma entidade divina haveria de intervir e transformar aquele parque num ambiente só de alegria.

Os bons momentos com meu pai eram raros, mas tinha um especial. A gente adorava quando ele preparava o bom e velho churrasco argentino, com a carne assada na grelha instalada a poucos centímetros do chão. Sem grande frescura, apenas com sal grosso e muita cerveja para acompanhar.

Nessa empreitada, ele também era rei. Tinha o *timing*, a hora certa de virar, assar e servir a carne para os amigos. Um hábito que o acompanhou desde a juventude. Nossas festas sempre foram regadas a churrasco. Aniversário, churrasco; se a sessão tivesse ido bem, churrasco; se o público compareceu no final de semana, churrasco.

Capy era generoso e chamava todos para saborear um pedaço de carne. Amigos ou não, sentavam-se lado a lado. Ali, peão também virava astro. Era também naqueles momentos que meu pai demonstrava seu carinho especial por mim. Eu não gostava de costela e ele comprava uma carne diferente para assar só para mim.

Em cada apresentação,
um truque novo, sempre
com o ar sereno.

42

RIBEIRÃO PRETO

Uma vez por ano, minha mãe deixava a gente passear na casa de alguns tios, em Ribeirão Preto. Adorávamos aquela cidade. Adorávamos aquela família. Mas o espaço de um tempo pode deixar mágoas profundas, sentimentos não revelados. Uma dívida financeira, um empréstimo não pago pelos pais pode custar uma amizade.

Enfim, o mundo pode mesmo ser perverso. Ali a vida estava muito mais clara para mim do que no parque, onde tudo era proibido. Os namoros começaram por lá, longe do cerco do meu pai. E também os primeiros porres precoces. Aos quinze anos fiquei bêbada pela primeira vez ao tomar vodca com rum e Coca-Cola. Queria sentir o que meu pai sentia quando bebia. Liberdade significava extravasar: beber, sair para as festas, namorar. Tudo isso era proibido em casa.

Se queríamos sair, só na companhia de minha mãe. A regra valia para os meninos também.

Meus irmãos tinham talento para os esportes. Jader, no voleibol. E Jarvas, no futebol. Quando morou na casa de tia Aparecida, Jarvas passou no teste para um time profissional, mas não quis seguir carreira. Ele ficou com medo dos boatos de que, ali, era comum o assédio sexual contra os jovens atletas.

Esse talento facilitava a socialização dos meus irmãos por onde o parque passava. Mas as meninas não tinham muita sorte nesse quesito. As garotas eram muito competitivas e mais reservadas. Na adolescência um fato marcou muito minha autoestima e evidenciou essa competição. Dois meninos ricos e bonitos se apaixonaram por mim ao mesmo tempo e uma garota de classe média não se conformou e quis tirar satisfação comigo.

— Quem você pensa que é? Eu nasci em berço de ouro, e você? Você não é nada!

Aquela frase pesou muito, fazia eco na minha cabeça, me atormentava, mas depois serviu como incentivo. Eu ia ser alguém. Dali para frente nada me impediria de seguir meus sonhos, de concluir meus estudos e ingressar numa faculdade. O diploma seria a chancela. A comprovação de que eu era alguém.

De todo modo, eu queria ter o orgulho de seguir em frente, mesmo contra tantas adversidades. Uma delas era a falta de apoio de meu pai. Ele dizia que, se eu quisesse ir para a universidade, teria que trabalhar para pagar os estudos e me manter. Nunca esqueci aquelas palavras, repetidas inúmeras vezes. Ele poderia ajudar, mas se negava. Não entendia se era por maldade ou porque era sovina.

Até mesmo alguns parentes tentavam me desestimular: "Gente de parque? Estudar para quê?", desdenhavam. Mas eu seguiria firme em meu propósito: livro a livro, apostila a apostila, caderno a caderno. A biblioteca pública, ou a escola, eram a minha igreja. Pegava caderno emprestado, copiava lições atrasadas quando havia, e lia muito. Passava horas e horas estudando.

— Vamos brincar, Patrícia? — convidavam as outras crianças.

— Não, vou estudar — respondia.

Esteticamente, eu não tinha nada de muito fora do normal. Usava roupas diferentes do convencional, mas nada exagerado. Mas esse jeito mexia com o imaginário dos meninos, que me achavam exótica.

Fiquei mocinha muito cedo, com apenas onze anos de idade. Minha mãe me deu todas as instruções sobre essa transição que as espinhas não deixavam esquecer. Uma fina camada de base e pó disfarçava o que a adolescência gritava no meu rosto. Também na adolescência, quando a vulnerabilidade está à flor da pele, outras crises estéticas me deixavam angustiada.

Os filhos puxaram de meu pai a dentição torta. Em casa, todos nós morríamos de vergonha de nossos dentes encavalados. Esse problema persistiria até anos mais tarde. Cada um daria um jeito de resolver o problema quando estivesse trabalhando fora do parque.

Quando começou a sentir o peso da idade, Capy também passou a ter um ciúme doentio de mim e inveja dos filhos. Jarvas e Jader já tinham idade para paquerar, mas ele proibia. No parque, quando estavam trabalhando, ele não admitia que meninos e meninas se aproximassem. Primeiro, pedia a Dora para interferir. Mas, depois, se estava de mau humor, passava na frente e ordenava, implacável, em seu portunhol:

— *Si, si, vamos se mandando.*

Jarvas e Jader queriam morrer, por isso sempre procuravam prevenir os amigos sobre o jeitão do pai.

Eu não podia nem conversar com os empregados. Para ir ao cinema, só em companhia de minha mãe. Namorar, então, nem pensar. Só depois dos dezoito anos. O rigor valia para os três filhos.

Jarvas e Jader conquistavam as garotas e Capy sentia que estava perdendo a virilidade junto com a juventude. Ele, o galã de várias décadas, via os filhos como rivais na conquista de mulheres, que já não eram mais atraídas por ele. A juventude dos dois, a facilidade que tinham em namorar as meninas mais bonitas da cidade e também de fazer amigos, incomodavam Capy. E o pior é que tudo aquilo apenas comprovava o ditado que ele sempre repetia:

— O tempo não perdoa ninguém.

E ele tinha razão. Pelo menos no caso dele.

43

NO PARANÁ

Entre as décadas de 1980 e 1990, viajamos quase todo o tempo pelo Paraná. O parque era bem-aceito nas cidades do interior, e meu pai escolhia os municípios de acordo com a época de colheita da safra. Quando a colheita era boa, as pessoas gastavam bastante em diversão com os filhos, e a nossa atração era uma delas.

Era normal o parque voltar para uma praça que antes dera boa bilheteria. A nossa turnê incluía Terra Roxa, Terra Boa, Altônia, Palotina, Umuarama e Campo Mourão. Por birra, ele também tentava cidades que não deram certo.

Com o tempo e os retornos recorrentes, começou a ficar mais fácil fazer amizades. Despertávamos mais confiança e essa confiança permitia que a gente fizesse mais amigos. O parque tornava-se familiar para a população de algumas cidades.

— Olha lá, o parque voltou! — disparava em corrida a meninada anunciando a nossa chegada. Mal começava a montagem do parque e apareciam garotos de todos os lados. Os engraxates e vendedores de sorvete faziam a festa.

— Ei, menino, desce daí, não atrapalha, não suja não! — pediam os empregados enquanto montavam os aparelhos. Era difícil conter a euforia dos garotos, ansiosos para dar uma voltinha nos brinquedos.

— Tio, se eu engraxar seu sapato, você deixa eu brincar aí? — um ou outro perguntava.

Na época da montagem e desmontagem, o serviço era bastante puxado, principalmente para os homens. Meus irmãos ajudavam e meu pai fazia um cerco danado.

— Quanto mais vocês demorarem, mais vai atrasar o pagamento — alertava, em tom ríspido.

A ameaça funcionava.

Nas temporadas de muita chuva, quando o parque não tinha como funcionar, a situação ficava brava. Minha mãe penhorava joias e rezava para a chuvarada passar.

Mas, de vez em quando, até torcíamos para que chovesse. Assim, a gente não precisaria trabalhar. Chuva sempre era ruim, era o passaporte para espantar freguesia. Não era uma torcida racional, mas levada pela preguiça ou vontade de apenas descansar e não ter contato com o público.

Quando a chuva virava tempestade, além do medo, havia o perigo dos raios, que poderiam atingir os fios de alta tensão usados para garantir a energia do parque. As moradias também ficavam vulneráveis, com a água escorrendo para dentro.

Com tempo bom ou ruim, não havia outra forma de ganhar dinheiro senão com o parque aberto. A propaganda era feita de boca em boca por curiosos e nas ondas de amplificadores instalados em nossos veículos, que percorriam a cidade.

Nos tempos do Príncipe Nino, era a voz do gaúcho que se ouvia do alto das caixas de som: "Estreia logo mais à noite o parque de diversões Capy. Senhoras e senhores, venham conferir as atrações. Tem xícara-maluca, roda-gigante, carrossel, barraca de tiro ao alvo e muito mais. Você não pode perder. Traga a sua família e divirta-se".

Sobe a música. Sucessos do momento, entremeados pelo tom saudosista de algum cantor e os prediletos de quem era o DJ da hora. Jarvas, quando tinha quinze anos, Nino ou o próprio Capy escolhiam as músicas. Tim Maia, Odair José, Fernando Augusto, duplas caipiras como Milionário & José Rico, Chitãozinho e Xororó.

Sempre que chegava ao local onde se instalaria o parque, Capy mandava colocar serragem em todo o terreno. Parecia um tapete. Tudo ficava com o aspecto limpo. Ele gostava de receber elogios pelo capricho nos detalhes. O delegado de polícia, o prefeito da cidade e os figurões frequentavam o parque e levavam os filhos e as esposas para o passeio de família. Alguns também gostavam de jogos de azar, exatamente aquilo que são pagos para combater. No parque, havia barracas com jogos de dados e roleta.

Muita gente desconfiava que os jogos do parque eram manipulados para enganar o cliente. Mas não era verdade.

Uma das rendas de Capy vinha da venda de fotos, que os fãs compravam como *recuerdos*.

44

BRASIL X ITÁLIA

A Copa do Mundo trazia a certeza de que a seleção canarinho voltaria consagrada da Itália em 1982. Mas Paolo Rossi surgiu no nosso caminho. Nessa época, eu já havia virado a casaca e era torcedora do Brasil. Era brasileira. A minha torcida pela seleção brasileira, de certa forma, demonstrava uma rixa com meu pai, era uma maneira de afrontá-lo.

Estávamos em Terra Boa, interior do Paraná. Eu era tão ingênua e fanática, que quase tive um problema mais sério de saúde quando o Brasil foi desclassificado com os três gols do carrasco italiano. Fiquei um mês chorando e repetindo a mesma frase.

— Eu não me conformo.

Minha mãe, coitada, tentava tirar essa bobagem da cabeça recorrendo ao velho chavão de que futebol é uma "caixinha de surpresa", que só se ganha quando termina o jogo. E eu me acabava de tanto chorar. Parecia que estava numa disputa direta com meu pai. Era difícil competir com ele. Capy era astro na muralha da morte, espalhava aos quatro cantos que era bom em tudo que fazia e desdenhava dos filhos. Era irritante.

O Brasil inteiro chorava. Aquele título significava a autoestima de muitos brasileiros. Havia uma comoção coletiva, que levou até algumas pessoas a cometerem suicídio. Para mim, era como se a seleção brasileira representasse não só a menina do parque, mas todos os outros garotos e garotas pobres sem voz.

A conquista do campeonato nos daria o poder de gritar ao planeta: entre tanta gente com boas condições de treinar, são os nossos garotos, a maior parte da periferia, os responsáveis por esse espetáculo todo. "Vocês vão ter que nos engolir", parafraseando o técnico Zagallo.

Mas a festa, mais uma vez, não seria brasileira. E nem a seleção chegaria perto daquela formação escalada por Telê Santana, quando os jogadores tinham a técnica, mas jogavam principalmente com alma. Eram quase todos homens gratos pela sorte de terem tido a chance de se tornarem grandes craques do futebol. Eram ídolos.

45

PEIXE FAZ BEM

Peixe no almoço, peixe no jantar, peixe no café da manhã. Certa vez, em Terra Roxa, meu pai voltou de uma pescaria com peixe para um mês. Pescar era um dos passatempos preferidos dele, ainda mais quando conseguia companhia. E Capy era um pescador de mão-cheia.

Apesar de já fazer parte do hábito do brasileiro, e de todo mundo saber que peixe é um alimento saudável, ele nunca foi lá muito popular no Brasil. Nem antes, nem hoje.

E Capy gostava de pescar, mas de comer peixe, só de vez em quando. Mas, naquela vez, ele pediu para Dora aproveitar a pescaria ao máximo, e servir peixe por vários dias seguidos.

Meu primo Guairacá, que estava morando no parque, foi tirar sarro do cardápio. Escreveu num cartaz, em letras garrafais: "Prato do dia — peixe no café da manhã, peixe no almoço, peixe no jantar". O cartaz foi colado na frente da cozinha do parque. Mas a deixa para forçar a mudança de refeição foi um tiro no pé.

Capy era pirracento e sabia ser espirituoso. Provocava a ponto de tirar qualquer um do sério. Meu primo sentiu isso na pele. Quando viu o cartaz, meu pai armou sua gloriosa vingança de moleque levado. No dia seguinte, falou para minha mãe preparar um peixe ensopado para servir especialmente ao sobrinho, e o chamou para uma conversa.

Meu primo, inocente, atendeu ao chamado rapidinho. Papo vem, papo vai, Capy pediu para servir o almoço e o convidou para comer com ele. O rapaz ficou todo faceiro, achando que seria o seu dia de comer filé-mignon, uma boa picanha ou qualquer outro bife suculento acompanhado de dois ovos fritos, como gostava Capy.

Ao abrir, gentilmente, a sopeira para começar a servir o sobrinho, ele disse em tom irônico:

— Olha o que o titio pediu para fazer para você: um *peixito*.

Meu primo, já enjoado de tanto peixe, mas sem querer contrariar o tio, comeu uma porção. Capy pirraçava: "Como está o *peixito* que o tio pescou? Come mais um pouquinho, come", insistia.

Demorou muito tempo para que meu primo voltasse a ter vontade de provar qualquer tipo de peixe. Ao sair da presença de Capy, o riso estava pronto. Todos caíram na gargalhada. Guairacá achou melhor tirar o cartaz.

46

A CASA EM PALOTINA

Na primeira vez que fomos a Palotina, os motoqueiros da cidade enlouqueceram com a muralha da morte. Havia muita gente rica ali e ninguém aparentemente demonstrava preconceito contra nós. Os mais ricos eram de famílias de agricultores abastados. Eles iam de manhã, à tarde e à noite ao parque, para saber como era a montagem, do que se tratava.

Era um auê. Foi uma espécie de simbiose que aconteceu naquele lugar: o povo se apaixonou pelo parque e meu pai e meus irmãos se apaixonaram por aquela cidade. Tanto que Capy a escolheu para construir sua casa de alvenaria e acreditava que moraria ali o resto de sua vida.

O movimento do parque era intenso. Chegamos a vender mais de 10 mil ingressos num só dia. Uma boa sessão rendia de 3 a 4 mil ingressos vendidos num sábado e outros 3 a 4 mil no domingo, fora o faturamento da venda de refrigerantes, algodão-doce, sorvete, cachorro-quente e de outras atrações, como os jogos de tiro ao alvo, entre outros.

Era fila em tudo quanto era brinquedo. Uma fartura pouco vista até então pela nossa família. Meu pai ganhou tanto dinheiro que, só com o saldo de uma temporada em Palotina, conseguiu comprar um terreno de mais de 10 mil metros quadrados e ergueu sua casa no município.

Foi também em Palotina, alguns anos antes, que eu me apaixonei pela primeira vez. Eu trabalhava na barraca de tiro ao alvo e o rapaz ia todas as noites conversar comigo.

Foi um flerte genuíno. Várias vezes voltamos ao município, mas o coração dava outras voltas. Ele era um garoto bastante assediado e rico. E eu era apenas a menina do parque.

47

UM ANEL PARA CADA IDADE

Quando fiquei adolescente, Capy passou a me presentear com joias. Um anel para marcar cada aniversário. Às vezes, eu desconfiava que os presentes eram uma forma que ele tinha para se mostrar aos amigos. Toda vez que aparecia um figurão no parque, ele me chamava e dizia:

— Mostra o que você ganhou.

Eu ficava na bronca, porque lá no fundo estava incomodada. Por que só eu ganhava presentes e os meus irmãos, nada? Não conseguia entender o que se passava na cabeça ou no coração de Capy.

Mas houve bons períodos em que, após a sessão do parque, meu pai ia para um bar qualquer, onde tomava uma, duas, três cervejas. Ou mais. Na volta, trazia dúzias de chocolates para os filhos que, ansiosos, muitas vezes acordavam de madrugada para comê-los.

No dia seguinte, ele fazia sempre a mesma pergunta:

— Onde estão os chocolates que eu deixei aqui?

E ele mesmo respondia:

— Acho que algum ratinho entrou na geladeira.

Claro que ele sabia que os filhos já tinham devorado quase tudo. E todos ríamos, felizes.

Quando estava de bom humor, Capy me pegava no colo e pedia que eu cantasse "uma música para o papai". Gesto que, mais tarde, repetiria com os netos, inclusive com brincadeiras que inventava de acordo com cada um.

Para meu filho Nícolas:

— Ô, *colito* do vovô, ô, ô.

Para Rafaela, perguntava:

— Quem é a menina mais bonita do vô?

Única neta, Rafaela era categórica:

— Eu.

Só não ficava engraçado quando ele soltava fumaça do cigarro e cantava:

— Ô, ô, *cigarrito* do vovô, ô, ô...

A MUDANÇA NO PERFIL DE CAPY

Capy mantinha um olhar distante, mas ao mesmo tempo tão profundo e impenetrável, que era impossível imaginar o que se passava naquele torvelinho de pensamentos. Ele passeava pelo parque antes da sessão começar como quem inspeciona a tropa. Peito para frente, mãos para trás. Repetidamente.

Ao terminar a revista, encostava-se à frente da bilheteria ou entrava no ônibus. Gostava de assistir ao telejornal. Comentar um fato e outro. E até se achava entendido de política. Dava palpite em tudo.

Nos anos 1980, Capy adotou um traje que nada lembrava os tempos de rebeldia à James Dean. Ele usava sempre um terno safári. Dava pinta de bacana e ficava alinhado.

Já com esse novo estilo, certa vez, quando o parque esteve no município de Céu Azul, meu pai se passou por uma autoridade. Driblou a segurança e foi cumprimentar o governador da época, que desceu de helicóptero para visitar a exposição-feira.

QUANDO O ARTISTA COMEÇA A DEIXAR O PALCO

Em 1980, Capy havia arrendado um pequeno parque com xícara-maluca, chapéu-mexicano, carrinhos bate-bate, roda-gigante, carrossel, minhocão e motinhas, barracas — de tiro ao alvo, bingo, de argolas de laçar garrafas, de refrigerante e cigarros, bolinhas para derrubar latas e chute ao gol —, entre outras atrações. Com o parque e a sua muralha da morte, percorreu várias cidades paranaenses. Como fazia amizade facilmente, já não gostava mais de tantas mudanças e começou a ficar muito tempo em cada praça. Com isso, o dinheiro ficava curto após algumas semanas.

O grande problema de Capy é que sempre gastou sem se preocupar com o amanhã. Teve joias caríssimas, como uma pulseira de ouro cravejada de brilhantes, da qual se orgulhava. Pesava quase um quilo e tinha seu nome inscrito. Teve também várias gargantilhas e anéis. Foi, aliás, com a venda das joias que Capy abriu sociedade para abrir seu próprio parque.

Mas o entusiasmo tinha passado. Como administrador do parque, cometia erro atrás de erro, como voltar para uma praça pouco tempo depois ou repetir o itinerário, sem conquistar novos públicos. O parque ficava encalhado num marasmo que não pagava nem as despesas.

E o pior é que Capy já não tinha mais disposição para se apresentar na muralha da morte. Nino assumiu o espetáculo sozinho. Mas, apesar de todo o seu empenho, o público queria mais. Quem já tinha visto a apresentação da dupla não se contentava com a falta do grande astro.

Quando Capy comprou uma casa em Palotina, Nino desanimou de vez e pôs fim à parceria. Ele sabia que Capy não tiraria seu parque dali. E seguiu a vida por outros parques, pois estava casado e já tinha dois dos três filhos: Aline e Diego. Bruna, a caçula, viria depois.

Ali mesmo em Palotina, Capy havia acumulado muito dinheiro e acreditou que nunca mais passaria um perrengue.

Aonde ia, fazia novos amigos. Logo, logo, suas churrascadas atraíam cada vez mais figurões. Capy ficou encantado com seu poder de sedução. Quando queria, era imbatível. Contava piadas, tirava sarro de todo mundo. Muitos nem entendiam que estavam rindo de si mesmos, já que eram o verdadeiro alvo da piada. Ele embevecia a plateia com seu alto-astral nos seus momentos de bom humor, o que era raro.

A bebida corria solta. Cerveja não faltava. Preparava churrascadas e se divertia com os novos amigos. Por algum tempo, enquanto o dinheiro durou, teve muitos amigos. Mas Capy ia perdendo seu encanto à medida que o dinheiro acabava.

Naquela casa de Palotina tinha tudo, mas não para a família. Minha mãe, meus irmãos e eu não éramos donos dela. Aquela casa, com gosto de sal, virou cenário para constantes humilhações. Não sei que bicho dava nele, mas Capy sempre ficava transtornado, intolerável.

Quando Capy entrava na casa, a gente tinha que se refugiar nos quartos. Havia um rosário de sermões, uma imposição de regras rígidas. Não podíamos levar nenhum amigo. A casa era dele. Estávamos ali de favor. Vistos de fora, parecíamos uma família feliz. Mas era uma grande fachada, uma farsa, assim como essas propagandas de margarina.

Capy recebe o cumprimento do então governador do Rio Grande do Sul (de 1963 a 1966), Ildo Meneghetti, ao lado do compadre João Salomão.

50

SEDUÇÃO E INGENUIDADE

Em Icaraíma, sem que meus pais soubessem, um peão de rodeios queria me roubar. Eu era ingênua e quase aceitei, mas no fundo não tinha vontade de deixar minha família. O rapaz queria me levar na caravana, e para isso, claro, teríamos que fugir. Não se tratava de paquera, mas ele achava que me salvaria do "carrasco" do meu pai. Ele já havia presenciado alguns xingamentos. Quando meu pai xingava era para valer. Ele ia fundo nas ofensas.

Não suportava que ficássemos conversando com ninguém. E essa regra valia para todos, os filhos e os empregados. Ele fazia a gente passar vergonha.

— Se arranca daí, vai, vai, caminha. Se manda.

Podia ser garoto, garota, mulher ou homem. Ele colocava todo mundo para correr. A gente chegava a suar frio e estabelecia um cronômetro íntimo: "Meu Deus, vou ter que dar um jeito para que esta pessoa saia daqui". Era um pesadelo.

Se passasse de três minutos, era vergonha na certa. O duro era falar que o dono do parque não gostava que a gente ficasse conversando porque atrapalhava o atendimento. Um sorriso para atender, uma cara amarrada para evitar conversa espichada.

Assim como meu pai, para mim, naquela época, o peão de rodeio era um artista. Nem de longe imaginava como era feito o procedimento para o animal ficar bravo e saltitante, vulnerável ao domínio dos cavaleiros.

Aquele rapaz prometera para mim um mundo de outras fantasias.

— Vamos, você vai gostar.

A prudência falou mais alto. Eu não fugi. Não tenho nem ideia do que o futuro numa caravana de rodeio me reservaria.

51

MÚSICA

A música também teve um peso grande na minha infância e adolescência: adorava ouvir os Beatles, Nelson Gonçalves, Caetano Veloso e todo tipo de *rock'n'roll*, MPB, *blues* e samba de raiz.

As músicas sempre embalaram as sessões do parque, em alto e bom som. Os bolachões, antigos LPs, traziam o canto dos caipiras, dos sertanejos e o *pop*.

Eram canções para atender todos os ouvidos. Cada um de nós tinha uma preferência. E cada um também era um pouco DJ. Era um rodízio sem fim no toca-fitas e toca-discos. Na verdade, o antigo quatro em um: toca-discos, toca-CD, toca-fitas e rádio. E o que se ouvia era desde Tim Maia, passando por Alcione, Milionário & José Rico, Blitz e RPM.

Sentado de lado na moto, Capy faz para o público sinal de positivo: "Está tudo bem!".

52

FOZ DO IGUAÇU

Foi quase uma década rodando pelo estado até chegar a Foz do Iguaçu.

Já que Palotina não rendia dinheiro para o parque, meu pai se viu obrigado, mesmo contrariado, a buscar algumas praças para sustentar a família.

Em 1984, ele já havia vendido a muralha da morte para o empresário Beto Carrero. O negócio foi intermediado por Charles Torres, seu antigo parceiro, que seria o astro do espetáculo, mas para isso Charles precisaria receber algumas aulas do antigo mestre. Capy foi convidado a fazer uma temporada com o amigo em Blumenau, Santa Catarina. Duas velhas motos que meu pai tinha, encostadas já havia algum tempo, foram transformadas numa só — carcaça de uma e motor de outra.

Charles foi o último parceiro de Capy na muralha da morte. Depois dessa curta temporada, de quatro meses, meu pai se aposentou. Não tinha mais saúde nem disposição para se aventurar no espetáculo que lhe rendeu tantas alegrias, mas que também deixou muitas marcas, traduzidas em dores crônicas nas costas, cicatrizes de queimadura por todo o corpo, a barriga e pulmão perfurados.

Ao contrário de Capy, Charles Torres ainda tinha muita vitalidade e queria ganhar o mundo com sua própria muralha da morte ao lado dos filhos.

Infelizmente, a muralha de Beto Carrero não vingou e foi desmontada pouco tempo depois. Nunca mais se ouviu falar dela.

53

UMA FLOR DE PESSOA

Nos últimos anos, Dora só chamava Capy por um apelido: Flor.

Tudo surgiu da repetição de uma brincadeira. Quando ele fazia caras e bocas de mau humor, ela tascava, para quem quisesse ouvir:

— Olha lá, não parece uma flor?

De tanto ouvir Dora se dirigir a ele dessa forma, minha amiga Darli, que morava em Altônia, disse para Capy, ao cumprimentá-lo:

— E aí, seu Flor, tudo bem?

O espanto dele provocou uma gargalhada geral e o apelido, claro, pegou rapidamente na família. Apesar de suas esquisitices, ele não ligou, até aceitou numa boa.

Foz do Iguaçu acabou sendo a última parada de Capy. Na cidade ele viveu por dezoito anos e acalentava um sonho.

Depois de perder tudo em transações malfeitas, como o arrendamento do parque, que foi levado para o Paraguai e abandonado no país vizinho, a venda da casa e o pagamento de indenizações trabalhistas, ele queria se reerguer apostando num novo negócio: a montagem de seu próprio lava-car.

Mesmo separado da mulher, foi morar na casa da filha, onde Dora já vivia. Mas queria ter privacidade e autonomia para seguir em frente com dignidade. Antes de montar seu lava-car, arrendou um bar na periferia da cidade. Não deu certo. Sem dinheiro, mas com a ajuda da família, alugou um terreno e avançou no seu sonho de prosperidade. Mas o negócio mal dava para pagar as despesas. O pouco que entrava saía tão rápido quanto a velocidade que, nos seus bons tempos, atingia na muralha da morte.

O cenário de grandes aventuras, aplausos e pedidos de bis cada vez mais se distanciava, ficava num recôndito passado. Nos fundos do modesto lava-car alugou uma casinha de dois cômodos.

Naturalizou-se brasileiro e conquistou a aposentadoria. Daria uma nova fachada à moradia com o pouquinho que ganhava e, quem sabe, agora compraria de vez, com a ajuda dos filhos, o seu lava-car? Voltou a fazer planos: compraria tinta, contrataria pedreiros e negociaria a compra do terreno arrendado. Ali também ergueria a própria casa. Nessa etapa da vida, Capy havia se transformado. O artista inconsequente e pouco apegado à mulher e aos filhos dava lugar a Antônio. Meu pai, aos poucos, preenchia a vida dos filhos e dos netos com quem adorava brincar. Continuava namorador, mas com as restrições que a idade impunha. E a virilidade também.

UM *CIGARRITO*, POR FAVOR!

— Quando eu melhorar, vou me mandar — falou e gesticulou ao mesmo tempo, certo de que quando superasse a febre e o cansaço da pneumonia deixaria o hospital imediatamente. Faltou ao meu pai só um pouquinho de pulmão.

Antes disso, Capy disse que estava sentindo falta apenas do *cigarrito*.

— Será que posso fumar dois cigarros? — perguntou a mim e ao Jader, que estávamos com ele no hospital.

Só podia ser uma piada de mau gosto ou puro humor negro. Era justamente o vício do cigarro que o estava levando à morte.

Ainda naquele mesmo dia, quando a transferência para outro hospital estava sendo acertada, meu pai disse que a mudança não seria necessária.

— O tratamento não é o mesmo? — perguntou como se estivesse apenas passando uma breve temporada no setor de emergência, e fosse sair dali em poucas horas.

Mas a confiança dele escondia uma situação real bem menos otimista. Meu pai não costumava ir a médicos. No pronto-atendimento do Hospital Municipal de Foz do Iguaçu, onde dera entrada para tratar de uma febre alta, depois de muita insistência dos filhos e de minha mãe, descobriu os estragos causados por uma saúde malcuidada. No caso dele, irreversíveis.

O diabetes tipo 2 instalara-se silenciosamente em seu organismo havia muito tempo. Como não sabia que tinha a doença ou tentava se enganar, alardeando uma saúde de ferro inexistente, continuava abusando, como sempre o fizera, desde a juventude, da comida e da bebida.

Sua dieta incluía muita carne vermelha, quatro carteiras de cigarros *made in* Paraguai por dia e muita, muita cerveja. Uma para abrir o apetite antes do meio-dia e várias outras para incrementar o almoço. Depois de empanturrar-se mais de álcool do que de comida, a bem da verdade, costumava fazer a *siesta*, a hora de o leão ser domado pelo sono da ressaca.

55

A MORTE E A PROFECIA

Quase duas horas da madrugada, o susto. A complicação pulmonar piorara. Capy, com a aparência de um velho e forte índio argentino, sucumbiu a uma pneumonia. Em menos de quarenta e oito horas, a infecção tomou conta do pouco que restava de seu pulmão direito. O esquerdo já havia sido destruído muito tempo antes pelo cigarro. Uma hora depois, Antônio Francisco Iunovich, seu nome de registro, já não conseguia mais respirar. Ele tinha setenta e três anos de idade e morreu no último dia de 2009, véspera de ano-novo.

No hospital, entre uma troca e outra de turno, Capy se mostrava pronto para superar qualquer doença. Conversava quase normalmente, brincava e, mais uma vez, falava de seus planos, agora bem modestos, como a compra do pequeno lava-car.

Com esses sonhos modestos, de quem praticamente nada possuía, Capy cumpria sua profecia dos anos de fartura: "Quando eu morrer, não vou deixar nada para ninguém. Quem quiser que trabalhe", repetia com uma certa frequência.

Ele cumpriu o que dizia. Quando se foi, quase nada mais restava do muito que ganhara ao longo da vida. Sobraram apenas lembranças.

56

BASTIDORES DO FIM

Foi uma longa madrugada. Entre a notícia da morte e o impacto da dor da perda, tem uma hora em que você precisa ser prático. E aí, emanado de um poder quase sobrenatural, você faz aquilo que acredita jamais ser capaz.

No meio de uma enxurrada de sentimentos, é preciso providenciar a roupa com que o ente querido vai ser enterrado, o caixão mais apropriado, as flores, o café, marcar o horário do sepultamento, avisar amigos e parentes, chorar sozinho e com eles.

Minha mãe se acabou em segundos. Não tinha condição emocional para providenciar o enterro. A paixão reflorescia ali como nos rompantes que vivenciara na alegria e na tristeza ao lado do seu companheiro de trinta e cinco anos. Com meu pai, ela viveu todos os arroubos de um louco e sofrido amor.

Enquanto minha mãe recebia as condolências de parentes e amigos, Jarvas, Jader e eu providenciamos os preparativos para a despedida.

Durante o velório, meus familiares chegavam aos poucos. Como ele morrera de madrugada, não tivemos tempo de avisar minha prima Rosana, minha tia Tide, meus primos Bruno e Raysa, que estavam a caminho para comemorar conosco a virada do ano. Teríamos que adaptar os planos. Nessa hora, receber um abraço é muito reconfortante. É um sopro. Mesmo de pessoas que você nunca tenha visto antes. Algumas, por respeito; outras, por carinho, independentemente da motivação que as levaram até ali, não importa; faz uma grande diferença ter alguém junto para abrandar essa dor.

Naquele mesmo dia, outra notícia triste chegava até nós. A netinha de um colega de trabalho, Caio Coronel, que enfrentava um câncer, também sucumbiu. Morreu aos oito meses. Ela seria enterrada ao lado de meu pai. Caio, minha família e a dele, nos encontraríamos entre um velório e outro.

Naquela noite, quando os fogos começavam a explodir no céu da fronteira, anunciando um novo ano, enfrentávamos a maior dor já compartilhada por nossa família. E doía. O enterro havia sido às dezessete horas. Era uma data muito complicada. O mundo inteiro se preparava para o rito da passagem do ano, e nós tentávamos suportar o golpe. Meu pai morreu e nada mudaria isso.

Logo depois do enterro e de todo aquele vazio que ali emanava, nós estávamos sós, e assim permanecemos meses depois. Entreguei à minha prima os convites que ganhei para passar o *réveillon* num dos clubes da cidade. Ela levou nossos filhos, junto com o meu marido e minha enteada, para a festa da virada de ano, em um dos clubes da cidade. Era a primeira vez que o local recebia convidados para a ocasião depois de quinze anos fechado. Não tínhamos o direito e nem queríamos estragar a festa de ninguém. Os parentes estavam encabulados, mas a verdade é que tinham vindo para uma celebração, não para um sepultamento. Não estavam preparados para a dor.

Fiquei órfã. Na sequência, uma avalanche de raiva, culpa e vice-versa. Eu, que havia passado tanto tempo protelando, com um grande enredo em minhas memórias e tinha combinado dias antes com ele de escrever o livro, no comecinho de 2010, logo depois das festas de fim de ano, tinha uma história em pedaços. Valeria a pena, depois desse episódio, escrevê-lo? Teria eu o direito de ser autêntica e revelar todos os sentimentos antagônicos de uma relação difícil de pai e filha ou deveria retratar a vida de meu pai apenas como o artista famoso e depois decadente? O que faria a partir dali? Não parei de escrever nos dezessete dias seguintes. Escrevia sem parar, como se a escrita fosse devolver o que os últimos dois dias do ano de 2009 haviam me tirado. Não conseguia pensar em mais nada. Digitava freneticamente para tentar dar sentido ao arrependimento de ter quase engavetado a história de meu pai. Eu estava surtada pela dor. E assim seria, rabiscar à caneta, corrigir a lápis, trocar tudo de lugar, recriar a estrutura para que ela fosse a mais real possível. Porque assim eu senti essa história. Entre tantos anos de espera para saber o que aconteceria com esse manuscrito, muitos parques de diversão passaram pela cidade. E é inevitável: sempre me vem à cabeça o chavão de Capy: "A vida é mesmo uma grande ilusão". E dificilmente um outro lugar seria terreno tão fértil para isso quanto um parque de diversão.

POSFÁCIO

O que leva um pai a não reconhecer um filho ou uma filha, fruto de um relacionamento extraconjugal? Medo, egoísmo, insegurança? Capy não está mais vivo para responder essa pergunta. Mas talvez a resposta seja um pouco de tudo isso.

Em alguns momentos, meu pai insinuou a possibilidade de ter tido uma filha no Uruguai, mais velha do que eu, mas, quando o questionávamos sobre o assunto, ele desconversava. De fato, minha irmã existe e vivia desde pequena o drama de não ser reconhecida, de ter sua história roubada. Sonhava com o domador de motos como quem sonha com o príncipe encantado. Ele viria salvá-la do ressentimento de ter sido abandonada pelo homem mais importante da sua vida, mesmo sem conhecê-lo. A uruguaia Antonia Zagarzazú, de 46 anos, quase seis meses mais velha do que eu, leva na identidade o nome homônimo do pai que ela tanto quis conhecer e que sua mãe reverencia até hoje. Ela guarda fotos, recortes de jornais, lembranças e, na rede social Facebook, sempre faz postagens para lembrar do grande amor de sua vida, principalmente no dia 4 de junho, quando Capy nasceu, e em 31 de dezembro, dia de sua morte.

A propósito, foi pelo Facebook da mãe que Antonia viu uma matéria sobre Capy que escrevi para a *Revista Piauí*, edição de março de 2010. Foi por meio dessa história que minha irmã, apelidada de Katy, numa referência a Capy, soube o verdadeiro sobrenome do pai e que era falso o nome com que se identificava no Uruguai, ainda como desertor do exército argentino. Katy, que sempre se interessou pela história do pai, começou também a pesquisar sobre seus irmãos.

Há pouco mais de dois anos, todo dia ela acompanhava o que eu publicava nas redes sociais, em busca de pistas. Bastante discreta, se indagava: — Será que deveria se arriscar e se apresentar? Ela não queria molestar uma família já constituída. Preferia se reservar.

Em novembro de 2016, logo depois que fiz uma cirurgia de refluxo para tratar um Esôfago de Barret, fiquei dois dias sem postar fotos de nascer e pôr do sol, um dos meus *hobbies*. Em Antonia, acendeu-se uma luzinha. Preocupada, ela queria saber o que poderia ter acontecido com a irmã, que quase religiosamente postava fotos do sol todos os dias. Depois de um desabafo no Facebook para relatar minhas angústias pós-cirurgia, minha irmã ficara ainda mais angustiada. No dia 22, quando eu estava na antessala do médico que me operou, aborrecida porque a cirurgia ainda não resolvera meus problemas de refluxo, recebo fotos de uma menina linda brincando com o pôr do sol. O remetente tinha o avatar de uma farmácia de Carmelo, no Uruguai.

Achei estranho, mas, subitamente, tive um *insight*. Por que alguém do Uruguai estava me mandando aquelas lindas imagens de pôr do sol, de que tanto gosto? Não hesitei e arrisquei, via Messenger: — Por acaso você é minha irmã? E ela respondeu, imediatamente: — *Si, si, soy!*

Depois desse dia, nunca mais paramos de manter contato. Katy guardava inúmeros jornais e fotos do pai, muitas das quais foram cedidas para este livro. Em janeiro, tirei férias e pensei em fazer uma surpresa para Katy, visitando-a no Uruguai. Mas ela se antecipou e rumou ao Brasil, junto com o marido e os filhos. Trazia o coração cheio de dúvidas e emoções conflitantes. No entanto, a sintonia entre nós foi perfeita, quase como se nos conhecêssemos desde sempre. E aí começou outra história.

GERAÇÃO EDITORIAL

Rua João Pereira, 81 – Lapa
CEP: 05074-070 – São Paulo – SP
Telefone: (+ 55 11) 3256-4444
E-mail: geracaoeditorial@geracaoeditorial.com.br